타키니아의 작은 말들

Les Petits Chevaux de Tarquinia

타키니아의 작은 말들

장소미 옮김

목차

"오세요."

마르그리트 뒤라스와 5년간 서신을 주고받던 청년 얀 르메가 처음으로 그녀에게 듣게 된 말이었다. 그는 단숨에 그녀가 사는 아파트로 달려갔다. 그는 28세, 그녀는 66세였다.

그녀는 그에게 얀 르메라는 이름 대신, 얀 앙드레아라는 이름을 지어준다.

뒤라스가 1996년 세상을 떠날 때까지 그는 그녀와 16년을 함께 지냈던 마지막 동반자였다. 그는 그녀가 구술하는 말들을 타자기로 두드렸다. 그녀의 유명한 자전적 소설 『연인』도 뒤라스의 말을 얀이 타자로 받아 적어 완성한 소설이다.

얀은 프랑스 북부 도시 캉의 말레르브 고등학교 고등사범 입시 준비반에서 철학을 공부하던 학생이었다. 그는 우연한 기회에 친구가 소장하던 마르그리트 뒤라스의 소설 『타키니아의 작은 말들』을 읽는다. 그리고 대번에 그 책에 빠져든다. 뒤라스를 향한 최초의 열광. 소설 『타키니아의 작은 말들』은 그에게 그런 의미를 가지는 소설이었다. 예민한 감수성을 지녔던 소년은 소설 속에 계속 등장하는 술 '캄파리'를 마셨고, 몇 번이고 책을 다시 읽었다. 그리고 수없이 많은 문장을 종이 위에 한 자도 빠짐없이 옮겨 적었다.

그 후로 그는 대학 진학을 위해 읽던 수많은 철학 책을 비롯해 다른 모든 책들과 완전히 결별했다. 그리고 그녀가 쓴 책 전부를 읽기 시작했다. 한 작가를 평생에 걸쳐 숭배하게 된 역사는 이 책, 『타키니아의 작은 말들』에서 시작된 것이다. 오직 그녀의 글을 읽고 받아 적는 것만이 뒤라스를 향한 그의 열병을 잠재울 수 있었다.

뒤라스 사후 3년 후, 그는 그녀와의 삶을 회고하는 저서 『이런 사랑 Cet Amour-là』를 세상에 내놓는다. 그는 이 책에서 이렇게 말한다. 『타키니아의 작은 말들』을 읽는 순간, 자신이 그 이름이고 싶었고, 그녀가 쓴 문장을 모조리 다시 옮겨 적고 싶었다고. 자신이 그녀와 하나가 되어 그녀의 한마디 한마디를 옮겨 적는 손이 되고 싶었다고.

『타키니아의 작은 말들』은 과연 어떤 소설이기에 평생토록 한 사람이 오직 뒤라스라는 하나의 이름에만 사로잡히도록 만들었을까?

이 소설은 한마디로 정의 내리기 어려운, 여러 사랑의 모습이 교차하는 이야기이다. 부부간의 사랑, 새로운 사랑, 나이 든 사랑, 자식에 관한 사랑, 친구 간의 사랑... 그리고 그 사랑들이 필연적으로 떠안을 수밖에 없는 갈등과 권태, 쓸쓸함의 감정도 함께 교차한다. 등장인물 모두는 이런 감정들을 자신만의 '말'로 정의해보려 한다. 그래서 이야기를 따라가다 보면, 독자는 자연스럽게 사랑에 관한 사색에 빠져들게 된다.

사랑에 관해 확실한 정의를 내리는 것은 어찌 보면 불가능에 가깝다. 뒤라스는 이 소설에서 등장인물의 입을 빌려 이렇게 말한다.

"세상의 어떤 사랑도 사랑을 대신할 수 없다."

이 소설에서 뒤라스는 절대적인 사랑이 불가능함을 말하려 했을지 모른다. 하지만 우리가 사랑 말고 달리 무엇에 의존하겠는가?

2020년 8월
녹색광선

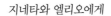

지네타와 엘리오에게

소설의 등장인물들은 바다에 면한 이탈리아 마을에서 여름휴가를 보낸다. 저녁 바람에도 좀처럼 누그러들지 않는 찌는 듯한 무더위가 기승을 부린다. 두 부부 중 한 부부는 아이가 있고 이 책의 중심이라고 할 법한데, 그들이 이룬 부부 관계와 사랑에 대해 회의적이다.

이 작은 바닷가 마을에서는 모든 것이 나른하고, 심지어 폭발사고로 인한 비극(한 청년이 최근 일어났던 전쟁 -제2차 세계대전- 중 매설된 지뢰 폭발 사고로 폭사했다)과 새로운 연애의 유혹조차도 나른하다.

결국 책의 말미에 잔잔한 감동을 불러일으키는 벽화, '타키니아의 작은 말들'의 영향으로, 모든 문제가 해결되리라는 여운이 남는다.

마르그리트 뒤라스는 프랑스 식민지 시대 베트남에서 태어났다. 그곳에서 아버지는 수학과 대학교수였고 어머니는 초등학교 교사였다. 유년기에 잠시 프랑스로 돌아간 적은 있지만, 뒤라스는 18세가 될 때까지 줄곧 사이공(현재의 호치민)에서 살았다.

그녀는 다수의 소설과 희곡, 시나리오를 발표했으며, 유명한 시나리오 『히로시마 내 사랑』도 그중 하나이다.

마르그리트 뒤라스는 우리 시대의 가장 독창적인 작가들 중 한 사람이다. 뒤라스의 작품을 관통하는 것은, 절대적인 사랑은 필수적인 동시에 불가능하다는 확신이다. 『타키니아의 작은 말들』에서 자크가 말하듯, "세상의 어떤 사랑도 사랑을 대신할 수 없"다.

1

사라는 느지막이 잠에서 깨어났다. 오전 열 시가 조금 지나 있었다. 조금도 누그러들지 않은 한결같은 무더위가 느껴졌다. 휴가를 보내려고 이곳에 와 있다는 걸 떠올리는 데는 늘 얼마간의 시간이 필요했다. 자크는 아직 자고 있었고, 가정부도 마찬가지였다. 사라는 부엌으로 가서 식은 커피 한 잔을 들이켠 뒤 베란다로 나갔다. 늘 제일 먼저 일어나 있는 건 아이였다. 아이는 베란다 계단에 홀딱 벗고 앉아, 정원을 기어다니는 도마뱀들과 강에 떠다니는 보트들의 움직임을 번갈아 지켜보고 있었다.

"모터보트 타고 싶어."

아이는 사라를 보자 말했고, 사라는 그러마고 약속했다.

아이가 말하는 모터보트의 주인은 이곳에 온 지 엿새밖에 되지 않은 남자였다. 아직 누구도 그를 잘 알지 못했다. 그럼에도 사라는 아이에게 모터보트를 태워 주겠다고 약속했다. 이윽고 그녀는 욕실에서 손잡이가 달린 커다란 물병 두 개를 들고 나와 아이에게 천천히 끼얹었다. 아이는 좀 여위고 지쳐 보였다. 이곳의 밤은 누구에게도 휴식이 되지 못했다, 심지어 어린애들에게도.

물병 두 통이 다 비자 아이는 더 뿌려 달라고 졸랐다. 사라는 물을 더 가져왔고, 아이는 찬물로 생기를 되찾으며 까르르거렸다. 샤워가 끝나자 이제는 아이에게 아침을 먹이고 싶었다. 이곳에선 어린애들도 결코 끼니를 재촉하는 법이 없다. 아이는 우유를 좋아했는데 이곳은 오전 여덟 시부터 우유가 상했다. 사라가 차를 묽게 타 주자 아이는 그것을 기계적으로 받아 마셨다. 그리고는 더는 아무것도 먹으려 들지 않았고, 요트와 도마뱀에 다시 주의를 빼앗겼다.

사라는 얼마간 아이 곁을 지키다가 가정부를 깨우러 갔다. 가정부는 구시렁대며 꿈쩍도 하지 않았다. 이 또한 다른 모든 것처럼 더위 탓으로 돌릴 수밖에 없었다. 사라는 아이에게 억지로 먹이려 들지 않았던 것처럼 가정부에게도 강요하지 않았다.

그녀는 샤워를 하고 반바지에 반소매 블라우스를 걸쳤다. 휴가 중이니만큼 베란다 계단의 아이 옆에 앉아 친구 루디가 오기를 기다리는 것 말고는 달리 아무 할 일이 없었다.

별장 몇 미터 앞 너르게 흐르는 은빛 강물이, 저 멀리 뽀얀 안개 속에 너울너울 펼쳐진 잿빛 바다로 이어졌다. 이곳에서 유일하게 아름다운 것이라면 강이었고, 동네 자체는 그리 아름답지 않았다. 그들이 이곳으로 휴가를 온 이유는 순전히 이곳을 좋아하는 루디 때문이었다. 유서 깊은 서구 바닷가의 작은 마을, 가장 폐쇄적이고 가장 무더우며 얼마 전까지도 세계 대전에 휩쓸렸던, 역사의 풍파가 끊이지 않았던 곳.

아닌 게 아니라 이레 전, 정확히는 이레 반 전에, 루디의 별장 뒷산에서 지뢰가 터져 한 청년이 폭사했다.

모터보트 주인이 호텔에 도착한 것은 사고가 발생한 다음 날이었다.

산기슭의 강을 따라 모여 있는 30여 채의 집들, 그 집들과 나머지 세상을 잇는 건 오직 바다로 가로막힌 7킬로미터 남짓의 흙길뿐이었다. 그곳은 그런 데였다. 30여 채의 집들은 매년 온갖 국적의 휴가객들로 채워졌다. 그들은 루디의 입김으로 이곳에 왔고 모두가 똑같이 그토록 원시적인 장소에서 휴가 보내기를 좋아한다고 믿는다는 공통점이 있었다. 30여 채의 집들과 그 주변을 따라 100미터 내외만 포석이 깔린 길. 그러니까 세상 어디와도 닮지 않은, 지나치게 가파른 산과 지나치게 바짝 맞닿은 강 때문에 결코 개발될 가능성 없이 철저히 외진 그것이 바로 루디가 좋다고 말하는 것이었고, 자크가 아주 싫지는 않다고 말하는 것이었으며, 사라가 좋아하지 않는다고 말하는 것이었다.

루디는 12년 전부터 아내 지나와 함께 이곳에 오곤 했다. 게다가

12년 전보다 더 이전에 그들이 만난 곳도 사실은 여기였다.

아이는 말했다. "모터보트는 세상에서 최고로 멋져."

루디와 상관없이 순전한 우연으로 이곳에 닿은 이는 그 남자뿐이었다. 그는 어느 날 아침, 모터보트를 타고서 이곳에 흘러들었다.

"언제 하루 보트를 타러 가자." 사라는 대답했다.

"언제?"

"곧."

아이는 벌써 땀범벅이 되었다. 무더위가 유럽 전역에서 기승을 부렸다. 하지만 사라는 더위로 가장 괴로운 곳은 단연 산이 숨막히리만치 바로 코앞에 버티고 선 이곳 산기슭이라고 생각했다. 그녀는 언젠가 루디에게 말했다.

"강 건너편만 해도 틀림없이 훨씬 시원할걸."

"내가 여기 드나든 지 12년째야. 넌 아직 이곳에 대해 아무것도 모르잖아." 루디가 대꾸했다.

자크는 강 양편의 차이에 대해 별반 의견이 없었다. 사라는 강 저편에선 밤마다 시원한 바람이 불고 있다는 걸 믿어 의심치 않았다. 아닌 게 아니라 강 저편은 20킬로미터 남짓의 평원이 있고, 그 뒤로 산이 펼쳐졌다. 사고 다음 날, 그 산에서 죽은 청년의 부모가 이곳으로 건너왔다.

사라는 물을 가져와 아이의 이마를 적셔 주었다. 아이는 행복해하며 엄마의 손길에 얼굴을 내맡겼다. 사고가 일어난 일주일 전 이후로 사라는 아이에게 키스하기를 꺼렸다. 아이에게 옷을 다 입히고 나자 루디가 도착했다. 오전 11시가 조금 넘어 있었다. 자크는 여전히 자고 있었고, 가정부도 마찬가지였다. 루디가 도착하자 아이는 놀이를 바꿔, 진흙탕이 된 자리에서 흙반죽을 주무르기 시작했다.

루디는 인사했다.

"잘 잤어? 잠깐 들러 봤어."

"잘 잤어, 루디? 자크 좀 깨워 봐."

루디가 양팔로 아이를 들어올려 귓불을 깨물었다가 도로 땅에 내려놓더니, 침실로 자크를 깨우러 갔다. 그는 방에 들어서자마자 덧문을 열어젖혔다.

"이제껏 안 일어나면 대체 수영은 언제 하러 갈래?"

"이 더위에 수영은 무슨."

"어제보단 덜 더워." 루디는 딱 잘라 말했다.

"대체 너는 언제까지 사람을 성가시게 하고 다닐래?"

루디는 더위를 타지 않았다. 무화과나무나 흐르는 강처럼 끄떡없었다. 그는 자크가 잠이 깨도록 내버려두고서 아이에게 가 놀아 주었다. 사라는 몸을 일으키며 머리칼을 정돈했다. 루디가 자동차만큼이나 빠른 모터보트의 매력에 대해 떠벌렸다. 그 또한 아이처럼 남자의 보트를 타보고 싶어 안달이었다. 루디의 얘기를 들으며 사라는 문득 그가 그녀에 대해 했다는 말을 떠올렸다. 여드레 전 밤이었다. 자크가 그녀와의 언쟁 끝에 그가 했다는 말을 반복해서 전했다. 산에서 지뢰 폭발 사고가 일어난 것은 이 사소한 다툼 –루디가 그녀에 대해 했다는 말을 듣지 않았더라면 말이다- 이 있고 난 다음 날이었다. 그녀는 이날 아침 이전까지는 루디가 그녀를 두고 했다는 말들에 대해 미처 생각해볼 겨를이 없었다. 산에서 일어난 폭발 사고 때문이기도 했고, 어쩌면 모터보트 남자의 출현 때문일 수도 있었다.

"우리랑 수영하러 갈래?" 루디가 물었다.

"글쎄. 참, 그 사람들은 아직 산에 있지?"

지뢰 제거반 청년의 부모는 이틀 낮과 사흘 밤 동안 자식 사체의 파편들을 주워 모았다. 그러고도 이틀이나 더 여전히 파편이 남아 있으리라 믿으며 고집스레 산을 헤맸고, 어제가 되어서야 비로소 수색을 포기했다. 하지만 그들은 아직 산을 떠나지 않았고 사람들로서는 정확한 이유를 알 수 없었다. 무도회가 취소되었고, 마을 전체가 상중이었다. 사람들은 그들이 떠나기를 기다렸다.

루디는 대답했다.

"난 아직 가보지 못했지만 지나가 그러는데 여전히 꼼짝도 하지 않는대. 사망신고서에 서명하기를 거부하나 봐. 특히 모친이. 사흘 전에 서류를 내밀었는데, 말도 못 붙이게 한대."

"이유도 말 안 하고?"

"그런가 봐. 왜 꼬마랑 수영하러 안 가?"

"더워서. 어떻게 해변까지 가는 길에 나무 한 그루를 안 심어 놨는지. 길을 바보같이도 냈어. 정말이지 못 견디겠어. 끔찍해. 못 견디겠다고."

루디는 눈을 내리깔며 잠자코 담배에 불을 붙였다.

사라의 푸념은 계속됐다. "광장에 딱 한 그루 서 있는 나무, 그나마 그것도 가지를 모조리 쳐버렸으니. 아무래도 이 동네에선 나무들이 제대로 서 있는 꼴을 못 보는 게 분명해."

"그럴 리가. 그게 다 포장도로 때문이라고 말했잖아. 길을 포장하면서 나무가 죽은 거라고."

"길을 포장했다고 나무가 죽지는 않아."

루디는 정색하며 반박했다. "아니, 진짜로 죽어. 이 동네가 특별히 나무한테 좋은 환경이 아니라는 건 인정해. 무화과나무라면 몰라도. 또 올리브나무나 작은 월계수들, 그 밖에 지중해에서 흔히 볼 수 있는 올망졸망한 나무들이라면 몰라도, 네가 찾는 그런 나무들은 이 근방에 없어. 그러기엔 여기가 너무 건조해. 그건 누구의 잘못이랄 게 없다고."

사라는 대꾸하지 않았다. 자크는 깨어나 부엌에서 식은 커피를 마시며 루디에게 말했다. "커피 마시고 갈게."

사라는 말을 이었다. "생각해 봐, 포장도로 때문에 나무들이 죽을 수 있겠지. 그래, 그럴 수 있어. 그건 그렇다 치고, 그럼 적어도 나무가 있는 곳은 포장하지 말았어야지."

"몰랐겠지. 여기 사람들은 무지하다고."

한순간 말이 끊겼다. 아이는 어른들의 말에 귀를 기울였다. 아이 역시 나무들에 관심이 있었다.

루디는 말을 이었다. "오면서 보니 보트 주인이 자기 배에 있더라. 열심히 쓸고 닦고 하더군. 호텔 바로 앞에서."

사라는 웃기 시작했다. 루디도 따라 웃으며 말했다.

"아닌 게 아니라 그 배에 한 번 타보고 싶긴 해. 혼자서 말고 다같이. -그는 덧붙였다- 하긴 보트 주인과 안면도 익혔어. 엊저녁에 페탕크를 하는데 우리 쪽으로 오더라고. 바로 한 게임 같이 했지."

"그래서? 보트 얘기 해봤어?"

루디는 대답했다. "그래도 그건 아니지. 이제 막 알게 된 사이인 걸."

아이는 말했다. "난 아빠랑 루디 아저씨랑 수영하러 갈래."

사라는 저지했다. "안 돼. 오늘 아침엔 안 가는 게 좋겠어."

루디가 물었다. "왜?"

"너무 더워."

아이가 말했다. "갈래."

루디가 거들었다. "햇볕은 애들한테 좋아. 애들이 햇볕을 얼마나 잘 견디는데."

사라는 아이에게 말했다. "엄마가 호들갑이 심하긴 했다. 가고 싶으면 가. 맘대로 하렴."

사라는 루디의 말이라면 무엇이든 들을 정도로 그에게 품은 우정이 두터웠다. 아이는 믿기지 않는다는 표정으로 엄마를 바라보았다.

사라는 재차 말했다. "가고 싶으면 가. 다들 하자는 대로."

가정부가 집에서 나와 눈을 세차게 비비며 루디에게 매우 살갑게 인사했다. 남자들은 늘 그녀를 말랑말랑하게 만들었다. 고양이처럼, 우유처럼.

"안녕하세요, 루디 아저씨."

"안녕하세요, 아니 이 집은 다들 왜 이리 늦잠이야."

"밤에 잠이 와야 말이죠. 그러니 당연히 아침에 자는 거고요."

그녀는 부엌으로 가서, 역시 식은 커피를 마셨다. 자크는 복도 끝의 작은 욕실에서 샤워했다. 루디는 베란다 계단에 앉아 강에 시

선을 빼앗겼다. 사라도 그 옆에 앉아 강을 바라보며 담배를 피웠
다. 아이는 정원의 풀숲을 헤치며 도마뱀을 잡으러 다녔다.

사라가 물었다. "그래서 그 남자는 공은 잘 쳐?"

"그저 그래. 그래도 호감이 가는 친구더라고. 약간…차갑긴 해….
말수도 적은 편이고. 어쨌든 나쁘지 않아."

가정부가 부엌 창문으로 얼굴을 드러냈다. "점심엔 뭘 먹죠?"

사라는 대답했다. "글쎄요."

"사라 아주머니가 모르시면 어떡해요."

자크가 욕실에서 소리쳤다. "호텔로 가자. 난 집에서 밥 안 먹어."

가정부는 대꾸했다. "그럴 거면 전 왜 여기 데려오셨어요? 꼬마
는요?"

가정부는 아이를 가리켰다.

자크는 외쳤다. "녀석은 집에서 먹여요."

아이가 반발했다. "싫어, 나도 어른들 따라서 식당 갈래."

"데려가지 그래?"

루디가 말했다. 그는 아이를 무척 아꼈다.

자크는 대답했다. "안 돼. 조용히 식사하고 싶어."

사라는 가정부에게 지시했다.

"송아지 간 요리를 해 줘요. 토마토랑 같이."

"송아지 간을 여기선 뭐라고 하는데요?"

루디는 낄낄거리며 대답했다. "페가토 디 비텔로."

루디는 걸핏하면 낄낄거렸고, 그건 자크도 마찬가지였다.

가정부는 대답했다. "전 여기 말은 도무지 모르겠어요. 좀 적어 주세요."

루디는 재차 말했다. "페가토 디 비텔로. 써 줄게요."

가정부는 종이와 연필을 베란다로 갖고 나와 루디에게 건넸다. 그가 물었다.

"이 집은 고기를 어디서 사나?"

사라는 말했다.

"모르겠어."

가정부는 대답했다. "육가공 식품점에서요. 거기가 죽은 청년의 부모에게 비누상자를 준 그 정신 나간 인간이 하는 가게보다 맛있어요."

자크는 머리칼은 젖고 상반신은 벌거벗은 채로 욕실에서 나왔다. 그가 물었다.

"참, 그 부모들은 아직도 거기 있나?"

루디는 대답했다. "아직이야. 모친이 버티는 것 같아. 사망신고서에 서명도 하지 않으려 하고. 아버지는 할 것 같은데 어머니가 고집을 피워."

자크는 말했다. "어쨌든 결국은 서명하게 될 걸 생각하면 끔찍하군."

그는 루디와 사라를 번갈아 바라보더니, 다시 루디를 향하며 사라에게 말했다.

"자, 같이 수영하러 가자."

"난 가더라도 이따 갈래."

루디는 몸을 일으키며 말했다.

"그럼 우린 가자."

자크는 사라에게 재차 졸랐다.

"그러지 말고 가자."

이들은 서로가 서로를 견딜 수 없다고 느끼면서도 늘 다 함께 있어야 한다고, 심지어 밤에도, 저녁에도, 페탕크를 칠 때도 함께 있어야 한다고 생각했다. 그 사실이 루디가 사라에 대해 했다는 말을 막아 주진 못했고, 자크가 그걸 인정하는 것 또한 막지 못했다. 사라는 가정부한테 아이의 모자를 가져오라고 지시했고, 가정부는 모자를 가지러 갔다. 이 과정이 꽤 긴 시간을 잡아먹었다. 자크는 물었다. "수영하러 안 가면 뭘 하려고?"

"책 읽을 거야. 아니면 그냥 아무것도 안 하거나."

시간이 흘렀다.

"모자는요?"

가정부는 대답했다. "아무리 찾아도 없어요. 저런 애 치다꺼리가 쉬운 노릇이 아니에요…"

가정부는 밖으로 나가 아이에게 외쳤다. "모자 어쨌니? 어디다 내팽개쳤어?"

아이는 대답했다. "몰라."

자크가 끼어들었다. "이제 겨우 네 살배기 꼬마요. 애 물건은 어른이 챙겨야죠, 애한테 미룰 게 아니라."

가정부는 푸념했다. "어휴, 지겨워라."

루디는 말했다. "아무리 사람이 좋아도 저런 말투를 번번이 눈감아 주면 안 돼. 나중에 피곤해진다고."

자크는 대꾸했다.

"사라 탓이야. 자기한테만 귀찮게 안 굴면 다 그냥 넘어가니…"

사라는 몸을 일으켜 집으로 들어갔다. 잠시 후 그녀는 금세 모자를 찾아와 아이에게 씌웠다.

루디는 말했다. "자, 그럼 이따 봐."

자크는 인사하지 않았다. 그들이 떠났다. 그러자 돌연 더위가 한층 더 찌는 듯 느껴졌다. 사라는 얼마간 아무것도 하지 않은 채 멍하니 베란다 계단에 앉아 있었다. 문득 인정사정없이 내리쬐는 피할 길 없는 태양 아래서 흙길을 터덜터덜 걷고 있을 아이를 떠올리며, 그녀는 겁이 났다. 아이들은 모자 쓰기를 싫어한다. 태양의 해악을 모른다. 그리고 자크와 루디는 워낙에 모자 따위는 필수가 아니라고 생각하는 위인들이었다. 사라는 걱정을 떨쳐버리려 애썼으나 뜻대로 되지 않았다. 그래서 탁자에 굴러다니는 책을 집어 들었다. 그녀가 아침마다 집안에서 갖고 나오는, 이른바 '현재 읽고 있는' 책이었다. 이곳에 도착한 다음 날부터 읽기 시작했으니 벌써 보름째 붙들고 있는 중이었다. 그녀는 읽기 시작했다.

독서는 장 보러 갈 채비를 마친 가정부에 의해 중단되었다. 가정부는 며칠 전부터 동네 세관원과 연인 사이가 되었다. 그래서인지 동네에 대한 불평이 쑥 들어가고 이제는 더위 타령만 했다.

"장 볼 돈 좀 주시겠어요?"

사라는 침실로 돈을 가지러 갔다.

가정부는 질문했다. "오늘 저녁에 뭐하세요?"

사라는 아직 모르겠노라고, 그걸 알기엔 너무 이르다고 대답했다. 매일 밤 아이를 누가 돌보느냐 하는 문제가 관건이었다. 가정부의 세관원 애인은 저녁에만 외출이 허용되었고, 밤엔 모두가 선선한 공기를 즐기고자 늦게 잠자리에 들었다. 가정부는 설명했다.

"실은 오늘 저녁에 외출을 했으면 해서 여쭤본 거예요."

사라는 말했다. "이미 외출하기로 결정해 놓고서, 내가 뭘 할 건지는 왜 묻는 거죠?"

가정부는 머뭇거리며 물었다.

"아주머니는 어쩌실 건데요?"

"난 집에 있을 거예요."

가정부가 사근사근하게 사라를 챙겼다. "그렇게 매일 밤 집에만 계시니 제 마음이 영 편치 않네요."

사라는 대답했다.

"그럴 리가. 하나도 안 불편하면서."

"그렇게 말씀하시니 하는 얘기지만… 그 사람은 저녁에만 겨우 외출할 수 있거든요."

"어쨌든. 오늘 밤은 어쩌면 나도 나가고 싶어질지 몰라요."

"그럼 이따가 봐서 결정해 주세요."

가정부가 가버렸다. 사라와 자크는 가정부에게 호의를, 나아가 애정마저 느꼈다. 하지만 가정부의 언행이 자주 거슬리는 건 어쩔 수 없었다. 그들 부부를 제외한 모두가 가정부를 못마땅해 했다. 가정부는 애인을 자주 갈아치웠고, 새 애인을 만날 때마다 한결같이 전적이고 맹목적인 애정을 쏟았다. 그들 부부는 가정부의 그런 점을 좋아했다. 그리고 남자를 향한 애정 못지않게 한결같은, 세상 누구에게도 주눅들지 않는 당돌함이 좋았다.

가정부가 떠나자 사라는 곧바로 다시 책을 읽기 시작했다. 집이 고요해졌다. 주변 농토도 전부 한적했다. 일주일 전부터 농부들이 밤에만 물을 주었다. 버스 아니면 이따금 소형 트럭들만이 지나다니는 길엔 소음과 먼지뿐이었다. 뜨문뜨문 꽃 주위를 돌며 붕붕거리는 말벌들만이 탁하고 끈적한 아침 공기를 흐트러뜨렸다. 태양조차도 하늘을 점령한 짙은 안개의 쇠사슬에 억눌려 반짝이지 않았다. 이곳에선 아무런 할 일이 없었고, 책들도 손에서 녹아내렸다. 매복 중인 말벌들의 은밀하고 조용한 날갯짓 아래로 이야기들이 산산이 부서져내렸다. 그렇다. 더위가 마음을 갈가리 흐트러뜨렸다. 오직 온전하게, 원형 그대로 더위에 저항하는 건 바다를 향한 욕망뿐이었다. 사라는 베란다 계단에 책을 내려놓았다. 다른 이들은 벌써 바닷물에 들어가 있었다. 그렇지 않은 사람들도 바다에 몸을 던지기 일보 직전이리라. 이미 행복을 맛본 사람들. 사라는 바다가 그리웠다. 별장 문을 미처 닫을 겨를도 없이, 바다가 그리웠다.

차는 정원 끝의 등나무 넝쿨 지붕 밑에 세워져 있었다. 차를 꺼내는 데는 제법 힘이 들고 시간이 걸렸지만, 사라는 운전에 능숙했다. 그녀는 2분 만에 차를 빼내어, 5분 만에 호텔 주차장에 도착했다. 그녀는 차에 협죽도 그늘이 지도록 벽에 바짝 붙여 주차했다. 거기서 길은 광장으로 이어졌다. 포장도로 때문이 아니라 명운이 다해 죽었다고 루디가 말했던 바로 그 플라타너스 나무가 한가운데 서 있는 광장이었다. 호텔과 호텔의 캐노피들은 광장에 면해 있었고, 그곳은 그 근방의 유일하고 진정한 그늘, 모두가 언제 어느 때라도 마주칠 수 있는 휴가의 지리적 요충지였다. 따라서 사라도 그곳에 정차했다. 그곳에 정차하지 않는다는 건 생각할 수도 없었고, 모두가 그렇듯 하루에 열 번은 들르고 있었다. 그녀는 테라스로 갔다. 모터보트 남자가 그곳에 있었다. 그들은 인사를 나누었다. 사라는 호텔을 돌아 다이아나의 객실 창 밑으로 가서 친구의 이름을 불렀다. 다이아나는 바로 내려가겠다고 대답했다. 사라는 다이아나가 호텔에 있어서 기뻤다. 그녀는 루디가 했다는 말에 더는 연연하지 않고 오직 바다만을 생각했다. 사라는 캐노피로 돌아와 모터보트 남자 곁에 앉았다. 웨이터가 다가왔다. 그녀는 에스프레소를 주문했다.

남자가 말했다.

"좀 전에 루디 씨가 지나가는 걸 봤어요. 댁의 남편 분과 아이와 함께요."

"그쪽은, 수영 안 해요?"

"나중에. 먼저 배부터 좀 타고요."

"아! 그렇죠!" 그녀는 물었다. "배에선 안 덥나요?"

"전혀요."

"환상적이겠어요."

이틀 전 오전 같은 시각에, 사라가 별장에서 나와 이곳에 왔을 때 그는 그녀의 존재를 벼락이라도 맞은 듯 얼떨떨하게 인식했다. 그녀는 그의 시선에서 그 사실을 알아차렸다. 그 뒤로 이틀 동안 같은 시각에, 그들은 이런 종류의 대화를 나눠왔다.

남자는 대답했다.

"상쾌하죠."

이틀 전과 마찬가지로 얼떨떨한 표정을 숨기지 않고서, 그는 그녀를 바라보았다. 캐노피 안은 둘뿐이었고, 대화 사이에 스미는 침묵은 들판의 정적만큼이나 강렬했다. 남자는 30대가량 되어 보였고, 혼자였으며, 멋진 배의 주인이었다. 휴가객들 중 아직 아무도 그의 배를 타 보지 못했다. 그들 모두, 특히 루디와 아이가 그의 배를 열렬히 타 보고 싶어했다. 무더위도 한몫했고, 휴가였다. 모두가 바다와 해수욕과 요트로 물살을 가르기를 갈망했다. 모두의 성향은 제각각일지라도 그곳은 휴가의 열풍이 휘도는 장소였기 때문이다. 남자의 몸은 매끈해서 다소 연약해 보이기까지 했지만, 그을린 갈색 피부가 바다와 잘 어울렸다. 보트와 함께 여전히 혼자 있었던 이틀 전 그때, 그는 벼락처럼 사라의 존재를 발견했다. 오늘 아침에도 사라의 존재는 같은 강도로 다가왔다. 무더웠고, 그들은 캐노피 안에서 단 둘이었다. 사라는 그의 눈동자가 자유를 갈구하는 초록빛이라고 생각했다. 그는 말했다.

"원하시면 제 배로 해변까지 모셔다드릴 수 있어요."

그는 이틀 전에 그녀를 발견했지만, 이런 말을 건네는 건 처음이
었다. 그녀는 대답했다.

"다음에요. 지금은 다이아나를 기다리고 있거든요. 혹시 다이아
나와 함께 간다면 모를까."

"좋을 대로 하세요."

그가 잠시 침묵한 뒤 대답하자, 그녀는 말했다.

"그런데 지나도 문제네요. 지나도 기다려야 할 텐데, 그럼 시간이
지체될 거예요. 아무래도 다음이 좋겠어요."

그는 씩 웃으며 말했다.

"여기선 모든 게 복잡하군요."

"네. 지옥 같은 곳이에요."

"그렇게 생각하세요?"

"가끔은요."

사라는 루디가 그녀에 대해 했다는 말을 떠올렸다.

"엊저녁에 공을 치셨다면서요?"

"네. 그쪽으로 산책을 나갔는데 루디 씨가 게임에 끼워 줬죠. 전
엄청나게 서툴러요."

"좋아는 하고요?"

"그다지 좋아하지도 않죠."

"그래도 게임은 사람들을 사귀는 방식이 될 수 있어요."

"네, 게다가 꽤 괜찮은 방식이고요."

"사람들은 친절하던가요?"

"굉장히요." 그는 그녀를 바라보았다. "자, 그럼 배는 언제 탈까요?"

다이아나가 도착했다. 그녀는 밝은색 원피스를 입고서 호텔에서 나왔다. 아름다웠다. 그녀는 사라에게 볼 키스를 한 뒤, 남자에게도 인사하고서 말했다.

"정말 덥다."

남자는 재차 물었다.

"자, 언제요?"

"편하실 때요."

사라는 좀 놀랐고, 다이아나는 무슨 상황인지 이해하지 못했다.

"오늘 저녁 어떠세요?"

"그러시던가요…. 아니면 내일 아침도 좋고요."

남자는 일어나 비치백을 들고 가다가 말했다. "어쩌면 해변에서 또 마주칠 수도 있겠어요."

그는 자기 배를 향해 멀어졌다.

다이아나는 물었다.

"무슨 소리야?"

"우리를 배에 태워 주고 싶어 해."

"안될 게 뭐야?"

그녀가 남자를 부르기 위해 고개를 돌렸다. 사라는 저지했다. 정말이지 그 배는 모두가 타고 싶어하는 것이 확실했다.

"다음에 타자."

"아니 왜?"

"그냥, 그게 좋겠어."

"알았어. 캄파리 비터 한잔씩 어때?"

"술을 마시기엔 너무 일러. 조금 이따가 시작하는 게 좋겠어."

"그러자. 갈까? 꼬마는? 자크랑 있나?"

"응. 자크하고 루디랑. 나는 거기 끼기 싫더라고."

다이아나는 사라가 아이 때문에 걱정하는 것을 알았기에 어서 가자고 재촉했다. 해변은 호텔에서 10분 거리였다. 그들은 오늘 아침은 아이만 아니라면 그냥 호텔에 있고 싶을 정도로 덥다고 푸념했다. 매일 아침 반복되는 주장이었다. 두 사람이 자리에서 일어나는데 지나가 그들을 불렀다. 지나는 루디와 거의 비슷할 정도로 키가 컸다. 굉장히 아름다웠고, 루디 식대로 표현하면 한 없이, 화를 내거나 절망에 빠졌을 때도 기쁨으로 빛날 때처럼 아름다웠다.

"루디 이 인간 봤어?"

"자크랑 해변에 있어. 수영하러 같이 가자."

"그래야지."

"어서 가자."

지나는 수영복을 챙겨오겠다며 5분만 달라고 요청했다. 그들의 별장은 호텔에서 30미터 남짓 떨어져 있었지만 그녀는 느긋했다. 다이아나와 사라는 다시 자리에 앉았다. 다이아나는 말했다.

"아무리 늦어져도 결국 수영은 하게 되겠지. 난 그전에 캄파리 한 잔이 절실해."

사라는 말했다. "일단 시작하면 멈출 수 없어. 안 돼."

침묵이 흘렀다. 다이아나는 이제는 모터보트를 타고서 강에서 멀어지는 남자와 사라를 번갈아 바라보았다. 사라는 말했다.

"아무튼 묘한 곳이야."

"응." 다이아나는 대답하고는 덧붙였다. "잠은 잘 잤어?"

"별로. 누군들 잘 자겠어. 아침에 사람들 눈만 봐도 알 수 있지. 다들 취한 듯 몽롱하잖아. 그래도 녀석은 잘 잤어."

"다행이네."

다이아나는 대답했다. 그녀는 이제 더는 모터보트를 보지 않고, 오직 사라만 뚫어져라 바라보았다. 매우 주의깊게, 그녀가 평소 모든 것을 바라볼 때 그러하듯 집요하고 준엄한 지성으로. 이윽고 그녀는 입을 열었다.

"뭔가 문제가 있구나."

"전혀."

"장소가 문제인가? 여전히 여기가 문제야?"

사라는 웃으며 대답했다.

"그럼 장소 말고 다른 무슨 문제가 있겠어?"

"그건 그렇지."

"너랑 똑같아. 나도 끊임없이 이곳에 대해 늘 이러쿵저러쿵하지만, 그래 봤자 무슨 소용이겠어?"

"저기 지나가 온다." 다이아나는 말하고 나서 덧붙였다. "아무래도 루디하고 또 한바탕한 것 같아."

세 여자는 함께 길을 나섰다. 샌들을 뚫고 전해지는 길바닥의 열기에 발이 홧홧했다. 그들은 걸음을 재촉했다. 지나는 죽은 청년의 부모에게 비누상자를 주었다는 식료품상의 가게에 들렀다. 동네 아이 하나가 가게를 대신 지키고 있었다. 그러고 보니 식료품상은 사흘 전부터 산에서 죽은 청년의 부모 곁을 지키는 나날을 보내고 있었다. 손님 두 명이 그들의 소식을 물었다. 대답은 지나가 했다.

"여전히 산에 있어요. 거기서 잠도 자고요. 비가 오지 않는 한 문제될 건 없죠. 세관원들이 제발 자기들을 조용히 내버려두고서 가 버리기만을 바라고 있어요. 그게 다예요."

다이아나는 말했다. "그러다 곧 꺾이겠지."

세 여자는 다시 길을 재촉했다. 지나는 무언가를 생각하는 눈치였다. 사라가 물었다.

"혹시 청년 부모를 또 만나러 갔었어?"

"좀 전에 거기에 다녀 온 거였어." 지나는 대답하더니 덧붙였다.

"그건 왜 물어?"

"그냥. 난 그렇게까진 못할 거야. 그래서 물어봤어."

"너도 루디하고 똑같아. 세상에 너희 같은 이기주의자들만 있으면….'

다이아나가 끼어들었다.

"누군가는 나서야겠지만, 난 그게 네가 아닌 다른 사람이었으면 해."

지나는 어깨를 으쓱하고는 아무 대답도 하지 않았다.

해변엔 서른 명 남짓 되는 그곳의 모든 휴가객들, 아주 정확히 모든 휴가객들이 모여 있었다. 세 여자는 휴가객들 중 많은 이들과 인사를 나누었다. 그들은 각기 다른 이유로 그곳에서 가장 인기 있는 여인들이었다. 그들은 대체로 함께였고, 다른 대부분의 사람들은 이를 마뜩잖아했다. 사라와 다이아나는 캄파리를 가장 많이, 하루에 열 잔씩 마시는 여자들인 데다 외국인이었다. 지나는 술은 입에 대지 않았지만, 루디의 아내였다. 자기에 대해 여러 말이 나돌게 만드는 여자, -본인도 모르게 매우 자연스럽게- 루디에 대한 그녀의 태도를 두고 모두가 옳다느니 그르다느니 판단하며 월권하게 만드는 여자였다.

자크와 루디는 물속에 있었다. 자크는 배영을 하고 있어서 그들이 온 것을 보지 못했다. 루디는 그들을 발견했고 양팔을 크게 흔들며 반가움을 표현했다. 루디가 내는 소리가 자크의 주의를 끌었고 자크 또한 그들을 불렀다. 바위 밑에서 게를 찾고 있던 아이 또한 고개를 돌렸으나, 이내 다시 놀라운 집중력으로 게를 찾는 데 몰두했다. 아이는 어깨에 스카프를 두르고 있었다. 사라는 아이에게 가서 말했다.

"게를 찾는 것도 좋지만 수영도 해야지."

다이아나는 말했다. "애 좀 그냥 내버려둬."

지나는 루디의 환호에 별다른 반응을 보이지 않았다. 다이아나가 옳았다. 부부 사이에 다툼이 있었던 듯했다. 루디와 지나도 사라와 자크처럼 지겹도록 싸웠다. 서로 한 치의 양보도 없는 모질고 기나긴 다툼은 해변 전체를, 밤들을, 휴가를 망쳤다. 세 여자는 바위 뒤로 가서 옷을 벗었다. 그렇다. 하잘것없지만 삶을 망치는 다툼들이 있다. 여하튼 자크는 사라가 온 것이 기뻤다. 그들 부부는 지난 7년 동안 서로를 사랑해 왔다. 같은 욕망이 첫날과 똑같이, 언제나 변함없이, 그들을 결합시켰다. 다이아나는 사라를 기다렸고, 그들은 함께 바위에서 내려왔다. 사랑뿐만 아니라 욕망

또한 그토록 변치 않고 오래간다면, 그 역시 절망이 될 수도 있으리라. 누가 알겠는가?

지나는 이미 바다 저 멀리에 있었다. 다이아나와 사라도 물속으로 들어갔다. 다이아나는 뛰어서, 사라는 조심스럽게. 다이아나가 외쳤다.

"바다라도 있으니 이 얼마나 다행이야!"

그녀는 웃으며 사라에게 윙크했다. 이윽고 그녀 또한 멀어졌다. 사라는 그들을 뒤따라갈 실력이 되지 않았다. 평영으로 팔다리를 몇 번 휘젓는 사이 그들은 금세 멀어졌다. 사라는 해변 맨 구석에서 여전히 게를 찾고 있는 아이를 향해 헤엄쳤다.

"들어와. 엄마랑 물속에 있자."

"엄마는 헤엄도 잘 못 치면서."

사라는 그들 쪽으로 오고 있는 자크를 향해 갔다. 그녀는 몇 차례 팔을 휘젓다가 고개를 들었다가 다시 팔을 휘저으며 헤엄쳤다. 루디가 멀리서 미소를 보냈다. 바다는 사람을 웃게 만들었다. 두 시간 정도는 무난히 몸을 담글 수 있을 정도로 물이 따듯했다. 이 바다는 세상의 어떤 바다와도 닮지 않았다. 그것이 자크나 루디처럼 이 장소를 좋아하는 사람들의 주장이었다. 이 바다는 나무랄 데가 없었다. 사라는 배영으로 자세를 바꾸어 그대로 꼼짝도 하지 않았다. 며칠 전에 겨우 익힌 동작이었다. 그렇게 바다에 떠있노라면 바닷물이 머리칼을 층층이 뚫고 스며들어 기억 속까지 침투했다.

자크가 칭찬했다. "어라, 잘하네."

그가 사라에게 다가왔다. 사라는 말했다.

"그런데 전진은 못해."

"발이 안 닿는 깊은 데로 와봐. 훨씬 쉬워."

"안 돼."

"날 따라와. 내가 옆에 있을게."

"발이 안 닿으면 난 미쳐 버려."

매일 같은 이야기의 반복이었다.

자크는 말했다. "아니, 그저 당신이 그러기 싫은 것뿐이야."

그가 멀어졌다. 그녀는 다시 배영 자세를 취했다. 그렇게 누워 있으면 눈에 들어오는 건 오직 산뿐이었다. 그 산 한가운데 버려진 하얀 벽 집이 있었고, 거기서 청년이 지뢰 폭발로 사망했다. 사라는 고개를 들어 시선으로 아이를 찾았다. 아이는 물속에 들어와 양팔을 치켜들고서 곧장 그녀 쪽으로 달려오고 있었다. 그녀는 웃으며 아이를 향해 나아갔다. 아이가 외쳤다.

"난 아빠한테 가는 거야."

자크가 다시 오고 있었다. 사라는 그를 불렀고 그는 모자를 만나러 왔다. 그는 아이를 어깨에 태우고 바다 속을 달렸다. 루디가 자기도 오겠다고 소리쳤다. 해변은 아이의 웃음소리와 루디의 외침으로 가득했다.

사라는 해변으로 돌아와 해수욕의 상쾌함을 간직하기 위해 파라솔 밑에 자리잡았다. 그녀가 파라솔 그늘에 앉아 아이를 지켜보는 동안, 남자가 저 멀리서 배를 타고 지나갔다. 모두의 시선이 그를 따라갔다. 그는 커다란 원을 그리며 한 바퀴 돌았고, 그러는데 10분 정도 걸렸다. 배는 매우 큰 원을 그리다가, 수평선에 이르렀을 때 바다 위의 한 점이 되었다. 이윽고 배가 점점 커지며 다시 돌아왔다. 그는 모터를 끄더니 수영하는 사람들 사이로 서서히, 조용히 배를 접근시켰다. 그리고 해변에서 100여 미터 떨어진 곳에 닻을 내리고는 바다로 첨벙 뛰어들었다. 아이는 -자크가 해변으로 다시 데려다 놓았다- 해변의 다른 모든 아이들처럼 물속에 발을 담그고 서서 홀린 듯 배를 바라보았다. 사라는 남자가 여러 아이들 틈에서 자신의 아이를 알아보고는 해변에 있을 그녀를 찾는 것을 보았다. 그녀는 손짓으로 신호를 보냈다. 그는 온몸에서 물기를 뚝뚝 떨어뜨리며 그녀에게 다가와 담배를 청하더니 불을 붙여 피우기 시작했다. 마침내 그가 입을 열었다.

"바다가 더없이 좋네요."

사라는 대답했다.

"한 번 들어가면 나오고 싶지 않을 정도죠."

"다시 안 들어가세요?"

"또 들어갈 거예요." 그녀는 덧붙였다. "바다가 어쩌나 좋은지 저항할 수 없거든요."

그는 그녀를 돌아보며 말했다.

"전 바다에서 잠든 적도 있는 걸요. 말하자면 거의 잠들 뻔했다는 뜻이죠."

"저로서는 꿈도 꿀 수 없는 얘기군요."

"그게 배워서 되는 게 아니라는 게 유감이네요. 그렇지 않았다면 제가 가르쳐 드렸을 거예요."

자크가 그들 쪽으로 다가왔다. 그는 아이에게 수영을 가르치고 나서, 이제는 다시 어깨에 태우고 있었다. 자크는 사라에게서 멀지 않은 해변에 아이를 내려놓더니 사라에게 아이를 여기 두고 간다고, 자기는 이제 본격적으로 수영하러 간다고 외쳤다. 아이는 조금 전 배를 바라보았듯이 홀린 듯, 수영하러 떠나는 아빠를 바라보았다. 아이의 수영복이 말려 올라가 맨 엉덩이가 드러났다. 아이의 맨 엉덩이는 번번이 사라를 웃게 만들었다. 남자는 사라가 무엇 때문에 웃는지 보았고, 따라 웃었다. 그가 말했다.

"아이가 잘 생겼어요."

사라는 미소 지으며 고백했다. "그건 잘 모르겠지만 아무튼 저 아이가 태어난 순간부터 전 아이에게 미쳐서 살고 있어요."

그는 다정하게 말했다. "그래 보여요."

그는 조금 전 호텔에서와 같은 눈빛으로 그녀를 응시했다. 사라는 시선을 떨궜다.

"그렇게 티가 나요?"

"아! 그럼요. 그쪽이 아이를 쳐다보는 그 즉시 느껴져요. 때로는 좀… 좀 참기 힘들 정도예요."

사라는 피식 웃고는 말했다. "알아요."

아이는 슬그머니 바위로 돌아가 다시 게를 찾기 시작했다.

남자는 물었다.

"물에 들어갈까요?"

"수영은 잘 못하지만, 좋아요."

사라는 자리에서 일어나 남자를 뒤따랐다. 다이아나가 다가왔고, 사라는 그녀에게 수영할 동안 아이를 봐 달라고 부탁했다. 이어서 자크도 왔다.

"또 들어가는 거야?"

사라는 대답했다.

"잠깐만 들어갔다 올게."

자크는 멀어지는 두 사람을 바라보며 자기도 다시 물에 들어갈까 망설였으나 결국 포기했다. 사라는 남자 옆에서 평영으로 헤엄치다가 이윽고 배영 자세로 누워 그대로, 꼼짝도 하지 않았다.

오직 하늘 외에 아무것도 보이지 않았고, 아무 소리도 들리지 않았다. 잠시 뒤, 하늘을 배경으로 남자의 또렷한 옆모습이 사라의 시야에 들어왔다. 남자는 그녀 곁에 서서 알아들을 수 없는 무언가를 말하고 있었다. 그는 되풀이하여 말했고, 입술 모양으로 미루어 앞으로 가 보라는 얘기인 듯했다. 그녀는 그렇게 했고, 몸은 어느새 멀리 전진해 있었다. 빙긋 웃으며 그녀를 바라보던 남자가 잘하고 있다고, 바로 그렇게 하면 된다고 말했다. 그녀는 불현듯, 멈춰 섰고 자신이 바다 멀리 나아가고 있다는 걸 불현듯, 깨달았다. 그녀는 말했다.

"더는 못가겠어요."

"겁먹은 거군요. 수영을 못해서가 아니라."

"전 바다가 무서워요."

그가 더 나아가 보라고 권했지만 그녀는 원치 않았다. 그는 불쑥 물었다.

"어떻게 할까요? 배는 언제 타실래요?"

"내일 아침은 어때요?"

그녀가 돌아가려는 동작을 취했지만 그는 꼼짝도 하지 않았다.

"다른 분들한테도 제가 여쭈어야 할까요?"

"그래 주시면 좋죠."

그는 빙긋 웃더니, 잠시 뒤 말했다. "알겠습니다. 다른 분들께도 여쭤 볼게요."

그들은 나란히, 천천히 헤엄치며 돌아왔다. 모두 기다리고 있었다. 매일 이 시간이면 그러하듯, 하늘은 약간 개어 있었다. 다이아나는 말했다.

"오늘도 비가 오긴 글렀네."

지나가 동의했다. "응, 기미가 안 보여."

남자는 말했다. "다들 더위 타령이 지나치신 것 같군요."

루디가 말했다. "선생이야 배가 있으니 고생스럽지 않겠죠."

남자는 말했다. "괜찮으시면 내일 아침에 제 배를 타고 멀리 나가 볼 수도 있습니다."

루디는 당황한 표정이더니, 다음 순간 언짢아진 기색이었다.

"아니면 오늘도 좋고요."

루디는 대답했다. "아닙니다. 오늘은 안 돼요. 오늘 내가 하고 싶은 건, 산을 등반하는 거예요."

그는 지나를 바라보았다. 지나한테 하는 말이었다.

지나는 말했다. "산엔 볼 게 아무것도 없어."

루디가 받아쳤다. "그래도 가고 싶어. 그 사람들이 산을 점령한 뒤로, 숨통이 콱콱 막힌다고. 맘에 안 들어."

다이아나는 웃으며 말했다. "그 사람들이 거기 없었어도 숨막히기는 마찬가지야. 누군들 그 사람들이 그러고 있는 게 편하겠어?"

자크는 말했다. "루디, 네가 간다면, 나도 갈게."

지나는 말했다. "난 안 가. 그렇지 않아도 산엔 넘치게 오르고 있으니까."

루디는 말했다. "아무도 가라고 강요 안 해."

지나는 말했다. "강요한다 해도 안 갈 거야. 이젠 그런 식의 산행은 싫어."

루디는 말했다. "예전엔 그 반대였던 거 같은데. 더울 때 벌들이 윙윙거리는 속에서 산을 걸어 다니는 게 좋아 죽겠다면서."

지나는 반박했다. "그런 적 없어. 바닷가라면 또 모를까, 그래, 하지만 산은 아니야."

루디는 잠자코 심술궂은 냉소를 흘렸다.

그가 언성을 높였다. "왜 그런 말을 하는 거야? 대체 왜?"

지나는 받아쳤다. "사실이니까."

그녀는 돌연 울화가 치민 듯 소리쳤다.

"그래, 내가 예전엔 산에 가는 걸 좋아했다 치자. 그런데 이젠 더이상 좋아하지 않는다면? 살면서 똑같은 것만 영원히 좋아해야 하는 법이라도 있어? 단지 예전에 좋아했다는 이유로?"

루디는 대답하지 않았다. 그는 시선을 떨궜다. 자크는 애써 웃음소리를 냈다.

사라는 말했다. "다른 얘기를 하는 게 좋겠어요."

루디는 가라앉은 목소리로 말했다. "나도 이젠 모르겠어, 저 사람이 아직까지도 좋아하는 게 뭔지를."

다이아나는 물었다. "캄파리 한잔 하실 분?"

사라와 남자가 원했다. 루디와 자크는 듣지 못했다.

루디는 차분하게 말했다. "당신은 내 아내야. 난 당신이 왜 나와 함께 산에 가고 싶지 않은지 알고 싶다고. 나한텐 그걸 아는 게 중요하고, 그래서 이렇게 얘기가 길어진 거야. 하지만 당신이 그것조차도 대답하고 싶지 않다면, 알았어, 내가 사과할게. 더는 얘기하지 말자."

지나는 대답했다. "그냥 이젠 싫어졌어. 그뿐이야." 그녀는 망설이는가 싶더니 덧붙였다. "20년 동안이나 좋아한 걸 여전히 좋아하는 사람들이 난 혐오스러워. 혐오스럽다고."

"그럼 미국은, 미국도 혐오스러워?"

지나는 대답했다. "여행도 이젠 싫어. 난 죽어버리는 거 말고는 바라는 게 없어."

다이아나가 끼어들었다. "캄파리나 한잔 하러 가자."

지나는 순순히 일어나서 다이아나를 뒤따랐다.

사라와 남자도 따라 일어났다.

남자는 물었다. "미국 얘기는 뭐죠?"

사라는 대답했다. "미국에 있는 루디 친구들이 5년 전부터 오라고 성화거든요. 지나는 가고 싶어하지 않아요." 그녀는 미소 지으며 덧붙였다. "그쪽이 어디서 오셨는지 모르겠지만 이 사람들은 괜히 저렇게 핏대 세우기를 좋아해요."

그들 넷은 해변 맨 구석에 있는 작은 바로 갔다. 캄파리는 시원했다. 그들은 연달아 두 잔을 마셨고, 남자도 마찬가지였다. 지나는 오만상을 지으며 한 잔만 마셨다. 남자는 테라스 난간 쪽으로 멀어졌다.

지나는 말했다. "아침부터 시비를 걸더라고. 내가 어떻게 나왔더라도 결과는 매한가지였을 거야."

그녀는 바의 의자에 무너져 내렸다.

"아! 저 인간과 함께 사는 이 생활에 정말 넌더리가 나."

다이아나는 말했다. "캄파리 한 잔 더 해. 믿을 건 오직 캄파리뿐이야."

하지만 지나는 또다시 오만상을 지으며 캄파리를 마셨다.

"고작 저런 인간 때문에 날 취하게 만들려는 건 아니겠지. 그렇지? 그럴 가치도 없는 인간이야. 나이가 이미 너무 들었다는 건 이유가 되지 않아. 이젠 정말 한계라는 생각이 들면, 저 인간이 너무 나가면, 난 스무 살짜리처럼 휙, 떠나 버릴 거야."

그녀는 목소리를 낮춰 덧붙였다.

"이건 절대 잊으면 안 돼. 난 언제고 스무 살처럼 떠날 수 있다는 거."

남자가 캄파리를 한 잔 더 들기 위해 다가오고 있었다. 그는 여자들 얘기엔 관심 없어 보였다. 사라는 그에게 다가갔다.

그녀는 설명했다. "둘은 몇 년 전부터 저 지경이에요."

남자는 대답했다. "압니다. 마을 전체가 수군거리니까요."

"저들은 싸울 때마다 늘 끝이라고 생각하죠. 몇 년 전부터요."

"하지만 저 두 사람이 함께 있는 걸 보면, 첫눈에도 뭐랄까요, 영원한 커플처럼 보인다고 할까요?"

그는 캄파리를 들이켜고 나서, 그녀를 다시 한 번, 오늘 아침 호텔에서와 같은 눈길로 바라보았다.

"당신도 지나가 옳다고 생각하나요?"

"전 누가 옳으니 그르니 하는 판단을 아예 자제하려 하죠."

남자는 말했다. "어렵군요. 우리는 코끼리가 아니고 사람이니."

"어려워요."

"그럼, 내일 아침에 제 배로 바다에 나가는 겁니다. 원하시는 곳 어디든 가세요."

"산 너머는 어떨까 싶어요. 루디가 걸핏하면 푼타 비앙카 절벽 얘기를 하거든요. 그 생각이 나네요."

"원하시면요. 당신이 정말 가고 싶은 곳으로 가세요."

사라는 말문이 막혔다. 그녀는 일어나서 지나와 다이아나가 있는 곳으로 갔다.

다이아나는 말했다. "너희들 말이야, 너희들은 젊어. 아직 얼마든지 남자를 바꿀 수 있다고. 그리고 너." 그녀는 사라를 향했다. "너는 저 보물이 있잖아."

그녀는 바다에서 놀고 있는 아이를 가리켰다.

세 여자는 아이가 노는 모습을 말없이 지켜보았다. 루디와 자크는 대화 중이었다. 여자들에게까지 내용이 들리진 않았지만, 루디가 소리를 지르고 자크가 그를 진정시키려는 분위기가 역력했다. 남자는 여전히 홀로 테라스 난간에 기대어 바다를 바라보고 있었다.

지나는 말했다. "난 점심 전에 그 사람들을 보러 가야 돼."

사라와 다이아나는 함께 가겠다고 나섰다. 남자는 자크와 루디를 기다리겠다고 말했다. 사라는 자크에게 아이가 점심을 먹어야 하니 호텔로 데려가 가정부한테 맡기라고 소리쳤다. 자크도 산에 가고 싶어했지만 루디가 당장은 가고 싶어하지 않는 바람에 그와 함께 남았다. 여자들이 난간을 돌아 나가기도 전에 아이가 달려와 사라에게 매달렸다.

"나도 엄마랑 갈래."

"안 돼. 아빠가 배를 만들어 주실 거야. 아빠한테 배 만들어 달라고 해." 그녀는 자크에게 외쳤다. "녀석한테 배 좀 만들어 줘."

자크는 외쳤다.

"이리 와, 아빠가 아주 멋진 배들을 만들어 줄게."

하지만 아이는 꼼짝도 하지 않았다. 그러자 남자는 테라스 난간에서 내려와 사라 쪽으로 오더니 아이의 손을 잡았다. 그는 다시 한 번 사라를 다소 오랫동안, 놀리듯 바라보고는 ─다이아나는 그 시선을 놓치지 않았다─ 아이를 자크한테 데려갔다.

여자들은 한동안 강변을 따라 걷다가 이윽고 호텔 앞을 지났고, 지나는 호텔을 지나고 나서 얼마 못 가 왼쪽으로 돌더니 산을 향해 난 가파른 오솔길로 접어들었다. 얼추 정오였다. 벌들이 소귀나무 열매 주위에서 붕붕거렸고, 이 시간엔 늘 그렇듯 시네라리아의 강한 향기가 대기에 퍼졌다. 바람은 대체로 좀 더 늦게, 오후 두 시쯤에 불어오곤 했다. 하지만 하늘에선 여느 때와 다름없이 안개가 서서히 걷히고 있었다. 여전히 비가 내리지 않을 거라는 신호였다. 산속의 더위는 그야말로 무자비해서 역설적으로 저 아래, 바닷가보다 더 견디기 나을 수도 있었다. 산 더위는 정면에서 위풍당당한 적의를 드러내며 구원의 여지없이 그들을 덮쳤다.

사라는 말했다. "난 벌이 무서워."

다이아나는 말했다. "넌 대체 안 무서운 게 뭐야?"

지나가 중재했다. "내 뒤에서 걸어."

그녀는 옆으로 비켜서서 사라가 자기 뒤로 갈 수 있게 해 주었다.

다이아나는 말했다.

"태양도 만만치 않게 무서워. 이 지방에 오기 전까진 몰랐던 거지."

지나는 중얼거렸다. "루디한텐 애송이, 아주 어린 여자가 맞아. 그런 대단한 남자와 사귄다는 걸 무척 자랑스러워하는. 난 그러기엔 루디를 너무 잘 알거든. 자랑스럽지도 않고 외려 그 반대라고 할 수 있지. 그래, 스무 살짜리 어린 여자애가 딱 좋을 거야. 그럼 나도 평화로울 텐데."

다이아나는 대꾸했다. "당연히 그렇겠지. 와, 그럼 그 순간부터 모든 게 진짜로 시작되겠네. 지금까지 있었던 모든 일들은 더는 중요하지 않고 말이야. 하여튼 어리석기는."

지나는 우뚝 걸음을 멈추더니 고개를 돌려 다이아나를 정면으로 응시했다.

"그래, 나도 내가 어리석은 거 알아. 하지만 루디에 대해 말할 땐, 아니야. 그건 그렇지 않아."

사라가 끼어들었다. "아니, 넌 특히 루디에 대해 말할 때 어리석어."

다이아나는 말했다. "부부가 갖고 있는 서로에 대한 지식, 아마 그게 제일 형편없는 지식일걸."

지나는 고개를 끄덕이더니 생각에 골몰한 채 다시 걷기 시작했다. 그녀는 중얼거렸다.

"문제는 내가 여전히 섹스를 좋아한다는 거야."

다이아나도 사라도 대답하지 않았다. 지나는 발을 빠르게 놀려, 뛰다시피 걸었다. 두 여자는 그녀를 따라가기가 버거웠다.

지나는 말을 이었다. "분명히 뭔가 있을 텐데, 약이든 뭐든, 잘은 몰라도 그 생각을 뚝 끊게 만드는 뭔가가…"

다이아나는 낄낄거렸다. 지나는 정색을 한 채 돌아보았다.

"그래, 웃어라. 난 내가 섹스를 더는 좋아하지 않게 될 때, 섹스 생각이 전혀 없게 될 때, 그때야 비로소 평화로우리라고 확신하니까."

사라는 말했다. "정말 섹스만이 문제라면, 언제든 다른 남자하고도 할 수 있잖아."

지나는 대답했다. "아니, 난 남자를 바꾸는 건, 절대 못해. 한 남자랑 살면서 동시에 다른 남자를 만날 수 없다고. 그건 내가 아주 어렸을 때도, 첫 남편하고 살 때도 못했던 일이야."

사라가 대꾸했다. "말도 안 돼."

지나는 뒤를 돌아보았다. 그녀의 두 눈은 시네라리아의 초록과 같은 색으로, 감탄이 나올 만큼 아름다웠다.

사라는 말했다. "오직 한 남자하고만 섹스하고 싶다는 건, 섹스를 좋아하지 않는다는 거야."

다이아나는 말했다. "내 생각도 같아."

지나는 말했다. "둘 다 창녀들이야?"

사라는 말했다. "난 쉰 명하고라도 할 수 있을 것 같은데."

지나는 말했다. "너라면 그럴 수 있을지도. 하지만 다이아나는 아니야."

다이아나는 대답했다. "나야 배신할 사람도 없잖아. 내 생각엔 많은 남자하고 할 수 있으려면, 일단 수년 동안 한 남자하고만 하는 게 어떤 건지 알아야 할 것 같아."

세 여자는 폐가에 이르렀다. 지나는 사흘 전부터 이곳에 하루에 한 번씩, 심지어 하루에 두 번도 들렀다.

죽은 청년의 부모는 여전히 마을 식료품상과 함께, 한쪽 벽면 그늘에 앉아 자리를 지키고 있었다. 앞에는 중간 크기의 비누상자가 놓였다. 식료품상이 준 것이었다. 그들은 그동안 찾아 모은 자식의 유해를 전부 그 안에 담았다. 상자는 이제 못을 쳐 놓았다. 위에는 포도주 병과 유리잔들, 그리고 빵이며 소시지 조각이며 오렌지들이 놓였다. 노부부는 상자를 마주한 채 땅바닥에 앉았고, 식료품상은 그 옆에 살짝 비스듬하게 앉았다. 젊은 세관원 두 명이 청년의 부모가 사망신고서에 서명하기를 기다리며 상자를 지켰다. 그들 또한 다른 벽면 그늘의, 폭발로 검게 그을린 돌바닥에 앉아 있었다. 그들은 겨드랑이에 둥근 땀자국이 난 카키색 군복을 목까지 올려 입은 채 기신기신 더위를 견뎠다. 후줄근해진 모자 밑으로는 땀이 비 오듯 흘러내렸고, 어깨엔 낡은 장총을 둘러맸다. 이 시간 무렵에 벽에 지는 그늘이라야 손바닥만 해서 그들은 비누상자를 마주한 채, 친구들처럼 옹기종기 모여 앉았다. 노부부는 평원 저편의 산에서 왔다. 아무도 그들을 몰랐다. 그들의 아들 또한, 아무도 몰랐다. 그는 북쪽으로부터 지뢰 제거 작업을 하며 내려오던 중이었고, 마을에 채 다다르기도 전에 지뢰로 폭사했다. 마을에 알려진 건 그가 스물세 살이라는 것이 전부였다. 반면 식료품상은 마을 모두가 알았다. 마을에서 가장 유명한 위인이었다. 2년 전 홀아비가 된 60대가량의 남자. 루디와 지나의 친구. 그는 청년이 지뢰로 폭사한 이후로, 더 정확히는 노부모가 이곳에 온 이후로 대부분의 시간을, 심지어 밤 시간까지 폐가 근처에서 두 노인과 함께 보냈다. 사건이 그를 변화시켰다. 그는 자신의 일생을 너무도 느리고, 너무도 길게 흘려보낸 이 지방을 더이상 좋아하지 않았다. 어쨌거나 그것이 그가 주장하는 바였다. 다이아나가 그를 발견하고는 말했다. "그는 45년 동안 무언가 폭발하기를 기다렸는데, 정말로 폭발해 버렸어."

매우 작고 왜소해서 무게가 어린아이보다 많이 나갈 것 같지 않은 남자였다. 하지만 두 눈만은 새로운 일이라면 아무리 사소한 것이라 해도 반짝거렸다. 그는 모든 일에 동참하기를 즐겼고, 그것은 심지어 죽은 청년 부모의 형용할 수 없는 슬픔에도 적용되었다.

지나는 인사했다. "다들 안녕하세요?"

모두 동시에 대답했다. 세관원들까지. 노파만 예외였다. 지나는
두 세관원에게 다짜고짜 악을 썼다.

"아니, 여태들 버티고 있는 거예요? 그 얼빠진 당신네들 일이란
걸 하려고?"

둘 중 하나가 대답했다. "우린들 이러고 싶겠습니까?"

식료품상이 끼어들었다. "하는 일이 얼빠진 일인 걸 어쩌겠어. 저
친구들도 실은 좋은 사람들이야. 다른 사람들이랑 똑같이. 특별
히 나쁜 친구들이 아니라고."

지나는 수긍했다. "나도 알아요."

세 친구도 벽이 만드는 그늘에 자리 잡고 앉았다. 사람들이 그들
에게 자리를 약간 내주었다. 노파까지도 벽 끝으로 몸을 더 바짝
붙였다. 그녀는 식료품상보다 더 나이가 많을 듯싶었다. 흙이 덕
지덕지 끼고 피로 물든 두 손이 거무튀튀했다. 이틀 낮 이틀 밤
동안 그녀는 남편과 함께 폐가의 돌들과 쐐기풀 속을 샅샅이 파
헤쳤다. 이젠 끝났다. 노파는 온종일 쉬며 잠들며 졸기를 반복했
다. 손이 여전히 더러운 것은 산에 물이 없어 아직 씻지 못했기
때문이었다.

지나는 말했다. "제가 파스타를 갖다 드릴게요. 가끔씩은 따뜻

한 음식을 먹어줘야 해요. 안 그러면 병나고, 병이 나면 절대 답
이 없어요."

노파가 웃으며 힘없이 말했다.

"젊은 양반은 아이가 있수?"

지나는 대답했다. "저는 없어요. 하지만 저 친구가 애가 하나 있
어요."

그녀는 사라를 가리켰다. 노파가 힘없이 물었다.

"몇 살이우?"

"네 살이요."

"한창 예쁘겠구먼."

모두가 노파를 바라보았다. 식료품상, 그는 사흘 전부터 열렬한
사랑에 빠진 연인처럼 그녀를 바라보았다. 식료품상이 말했다.

"자식이라면 나도 좀 아는데 말이오. 예전엔 몰랐지만 이젠…."

손님이 그의 가게에 들어가 소금이나 다른 거, 구두약이 있냐고
물으면 그는 이렇게 대답했다. "소금은 없수다. 소금이라면 예전
부터 내가 좀 아는데 말이오." 혹은 "없어요, 대체 뭘 바라는 거
요? 구두약을, 나한테? 구두약이라면 예전부터 내가 좀 아는데
말이오." 이런 식이었다. 그는 채소만을 팔았고 간혹가다 육류도
갖다 놓았는데, 금세 동이 나고 보존기간이 짧은 식재료만을 팔
았다. 그렇게 그는 텅 빈 진열대 속에서 홀로 늙어가며 흡족한 듯

두 손을 비비곤 했다. 진열대가 텅 빈 가게, 그것은 가장 찬란한 그의 인생 역작이었다. 그런데 어느 날 그걸 이렇게까지 내팽개칠 수 있으리라고는 그 자신도 꿈에도 생각지 못했으리라.

노파는 말했다. "식료품상 양반도 불행을 겪었다우."

지나는 대답했다. "식료품상 아저씨요, 아, 그렇죠." 그녀는 기억을 떠올렸다. "맞아요, 불행을 겪으셨죠."

식료품상은 말했다. "그래요, 내 아내가 카운터에서 죽어 있는 걸 발견했소. 죽음은 언제나 불행이죠. 언제나. 망자와 함께 산 세월이 아무리 고달팠어도 말이오."

세관원 중 하나가 비누상자 위의 오렌지를 하나 집어 들어 껍질을 벗기기 시작했다. 노파는 다른 세관원에게도 오렌지 하나를 건넸다. 식료품상은 말했다.

"드슈. 그거 먹는다고 임무에 소홀해지는 것도 아니니."

오렌지를 받은 세관원이 대꾸했다. "우린들 이러고 싶겠습니까? 아시잖아요…."

노파는 힘없이 물었다. "아낙들은 어쩌나?"

지나는 대답했다. "저흰 됐어요. 곧 점심 먹을 거예요."

식료품상이 들릴 듯 말 듯 중얼거렸다. "하기야 그 사람이 죽을 데가 카운터 말고 또 어디겠어요? 죽으면서도 금고를 꽉 움켜쥐고 있더라고요. 딱한 여편네, 딱하기도 하지."

더위가 굉장했다. 숨이 턱턱 막혔다. 하지만 노파도, 노파의 남편도, 식료품상도 끄떡없었다. 지나는 비누상자를 뚫어져라 쳐다보았다. 그리고 나지막하게 말했다.

"이 더위에 더는 오래가지 못할 거야."

식료품상이 말했다. "천만에, 상자를 단단히 밀봉했소. 홈마다 비누를 꽉꽉 채워서."

지나는 돌연 언성을 높였다. "어쨌든 마냥 여기 이러고 있을 순 없죠. 안 그래요?"

아무도 대답하지 않았다. 세관원들이 거북해했다. 지나는 그들에게 말했다.

"이봐요, 다시 말하지만 세금이든 뭐든 치러야 할 게 있으면 우리가 다 낼 테니, 이분들 좀 보내줘요."

세관원은 대답했다. "세금만이 문제가 아니니까요. 사망신고서가 있다는 걸 잘 아시잖아요."

"아, 그렇죠."

지나는 대답했다. 마치 노파가 그 자리에 없는 듯한, 혹은 그 사망신고서가 노파와 무관한 일이라는 듯한 어투였다. 그녀는 말을 이었다.

"깜빡했어요, 그러네요, 사망신고서가 있었네요."

"그건 의무적이거든요."

"할머니가 서명하길 거부하세요, 우리가 이렇게 다 준비해서 드렸는데도요."

세관원 하나가 말했다. 친절하고 할머니를 이해하는 어투였다. 노파도 듣고 있었고, 그들을 바라보았다. 그녀는 사망신고서 서명이 불가능한 자신의 상태에 스스로도 속수무책인 채, 지나와 세관원들을 번갈아 바라보았다.

지나는 물었다. "할머니, 사망신고서에 서명하기 싫으세요?"

노파는 거부의 뜻으로 고개를 끄덕였다. 노파의 남편이 입을 열었다.

"이 사람이 안 한다면, 나도 안 할 거요." 그는 덧붙였다. "게다가 우리는 바쁠 게 없소."

세관원은 말했다. "할머니는 마을을 탓하세요. 하지만 이런 일은 누구의 잘못도 아니거든요."

식료품상이 말했다. "난 할머니를 십분 이해해요. 내가 할머니였더라도 서명하지 않았을 거요."

노파는 태양에 벌게진 눈으로, 어쩌면 다소 어리둥절해져서, 그를 바라보았다. 자기를 이해한다고 말하는 식료품상을 이해할 수 없는 것이 역력했다.

다이아나는 다정하게 말했다. "사망신고서는 실은 아무것도 아니에요. 종잇조각에 불과하죠."

노파는 말없이 고개를 떨궜다. 지나는 그녀의 손을 잡아 토닥였다. 노파는 지나가 하는 대로 가만히 있었다. 지나는 말했다.

"할머니가 잘하시는 거예요."

사라가 거들었다. "그럼요. 아주 잘하셨어요."

노파는 부들거리기 시작했다. 숨을 들이마시려는 듯 입이 헤벌어졌다. 지나는 노파의 손을 꼭 붙들며 말했다.

"그래도 여기 마냥 이러고 계실 수는 없는 노릇이에요."

세관원이 말했다.

"마을 탓을 하시는 거라니까요, 그거예요."

노파는 아니라는 뜻으로 고개를 젓더니 훌쩍이기 시작했다.

이번엔 다이아나가 말했다. "그 신고서 얘기는 두 번 다시 꺼내지도 마세요."

식료품상은 말했다. "난 할머니를 이해해요."

노파의 남편이 조용히 말했다. "이 사람은 도무지 내키지 않는 거예요, 왜인지는 자기도 잘 모르면서."

지나는 말했다. "그 얘기는 이제 그만하죠."

남편은 계속해서 말했다. "셋이오. 자식을 셋이나 묻었다고. 아마 그래서일 거요."

식료품상이 끼어들었다. "외람되지만 난 정말이지 당신들 모두가 할머니가 서명하길 바라는 게 과연 잘하는 짓인지 모르겠소."

지나는 황당해하며 식료품상을 돌아보았다.

"그럼 여기 이렇게 일주일이고 보름이고 계시게 놔둬야한다는 건 가요?"

"안될 게 뭐요? 설사 그 이상이 된다 한들 안 될 게 뭐냐고? 누구 나 자기가 원하는 대로 고통을 당할 권리가 있는 거요."

지나는 대답하지 않았다. 루디와 자크와 남자가 오고 있었다. 그 들이 도착할 때까지 아무도 입을 열지 않았다. 지나는 여전히 노 파의 손을 쥐고 있었다. 노파는 다른 손으로 코를 훔쳤다. 식료품 상은 혼잣말로 중얼거렸다.

"난 죄다 이해한다고. 이상하지. 특히 얼마 전부터 그렇게 됐으니 까. 그냥 이해가 되더라고. 그뿐인가? 그보다 더한 것도 이해할 수 있어. 마치 정신이 이상해지기라도 한 것마냥."

그는 슬픔에 잠기지 않았다. 집 쪽으로 다가오는 남자들을 보자 커다랗게 손을 흔들어보였다. 노파의 거부가, 그런 유형의 거부 가 그를 열광시키는 게 분명했다.

자크와 루디는 인사했다. "안녕하세요."

이곳이 처음인 남자는 손짓으로 인사를 대신했다. 그도 다른 이 들처럼 노파를 바라보았다. 노파는 그를 보지 않았다. 식료품상 은 말했다.

"할머니가 여전히 사망신고서에 서명하지 않으시겠대."

세관원들이 그를 뜨악한 눈길로 바라보았다. 마치 자기가 아닌 다른 이의 얘기라도 듣는 듯 노파의 눈가에 옅은 미소가 스쳤다. 자크는 노파에게 매우 살갑게 말했다. "잘하셨어요."

그들은 벽 그늘에 앉았다. 노파는 그들에게 자리를 내주기 위해 몸을 더욱 벽에 바짝 붙였다. 이 시간 무렵엔 벽 그늘이라 해 봤자 손바닥만 해서 그들은 다닥다닥 붙어 앉아야 했다. 사망신고서 얘기를 피하기 위해 이런저런 다른 말들이 오갔다. 노파는 고개를 꾸벅거리며 졸았다. 바닷가에서 평생을 살아온 듯한 여자였다. 그녀 고유의 냄새는 세월과 함께 사라지고, 이젠 죽은 이끼로 뒤덮인 뜨거운 모래사장 냄새만이 남았다.

남자는 노파를 보았다가, 이윽고 약간 창백해져서 비누상자를 바라보았다. 구부리고 앉아 있던 그의 다리가 사라의 다리를 스쳤다.

루디는 가라앉은 목소리로 말했다. 그는 이제 누구에게도 화가 나 있지는 않았다. "아니, 대체 비는 언제 오는 거야? 간절하게 원한다고 해서 사람이 바위가 될 수 있는 것도 아니고. 언제가 됐든 결국은 움직여야지."

노파가 깨어났다. 그녀는 아무 상관없고 체념했다는 뜻으로 한 손을 아주 살짝 들어올렸다. 식료품상은 말했다.

"또 누가 알아?"

루디는 대답했다. "그렇죠, 모르죠."

노파의 남편이 말했다. "두고 봅시다, 비가 오면 또 모르니. 그래도 저 사람이 끝내 서명하지 않겠다면, 나도 안할 거요."

아내 들으라고 하는 소리였다. 노파는 시선을 떨궜다. 그녀는 거부와 불가해함의 강력한 화신이 되어 있었다. 어쩌면 그녀는 다른 이들이 이해하기로 작정한 것처럼, 자기는 더는 이해하지 않기로 작정한 건지도 몰랐다. 사실 무슨 차이겠는가. 그녀를 바라보면 바다가 떠올랐다.

노인은 말했다. "어떤 의미로는 차라리 이러고 있는 게 저 사람 마음이 편할 거요. 꿈쩍도 하고 싶지 않은 거지. 서명을 하면 그땐 정말 떠나야 할 테고, 그러고 싶지 않으니까."

자크는 노파가 눈을 즐겁게 하는 미인이라도 되는 듯, 뚫어져라 바라보았다. 루디와 남자도 마찬가지였다. 세관원 중 하나가 말했다.

"제 생각엔 절대로 서명하지 않으실 것 같아요." 그는 루디를 향해 소리를 죽여 말했다. "혹시 마을로 내려가 세관장을 만나 사정 설명을 해 보시겠어요? 어쩌면 세관장님이 양해해 줄 수도 있어요."

하지만 산중의 침묵 속에서 소리를 죽여 말하는 건 소용없었다. 모든 소리가 소라고둥 안처럼 선명히 들렸다.

식료품상이 듣더니 말했다. "천만에, 양해해 주지 않을 거요. 헛수고할 필요 없어요."

다른 세관원이 동의했다. "제 생각에도 헛수고예요."

자크는 말했다. "루디와 제가 가서 얘기해도요?"

식료품상은 대답했다. "소용없다니까요. 규칙으로 정해지지 않은 건 이해 못 할 작자거든요. 아마 제정신들이 아니거나 선동질이라고 치부해 버리고는, 거부할 거요."

노인네가 말했다. "애쓰지 마시오. 두고 봅시다. 내일이나 모레나… 바쁠 거 없으니."

이번에도 아내 들으라고 하는 얘기였다. 노파는 또다시 꾸벅꾸벅 조느라 듣지 못했다.

노인네는 말을 이었다. "게다가 우리한테 뭘 어쩔 수 있겠소? 신고서에 서명 좀 안 했다고 해서 사람을 죽일 수도 없을 테고. 대체 우리한테 뭘 어쩔 수 있겠냐고?"

모두 세관원들을 돌아보았다. 둘 중 누구도 감히 대답하지 못했다.

지나는 채근했다. "어쩔 수 있지요? 대답해 드려요."

세관원 하나가 기어들어가는 목소리로 말했다.

"저분들이 저 상자를 못 가져가게 하겠죠."

노파가 소스라치며 깨어나더니, 완강한 표정으로 나지막한 신음을 흘렸다.

"안 돼, 그렇겐 못해."

다이아나가 달랬다. "그럼요, 그렇겐 못하죠. 신고서 얘기는 이제 이만하면 된 것 같군요."

자크가 동의했다. "그래요, 이제 그만하시죠."

산에는 벌이며 파리며 온갖 종류의 곤충들이 득시글거렸다. 그들은 끊임없이 손으로 곤충들을 쫓았다. 노인도 간간이 곤충들을 쫓았으나, 노파는 아니었다. 그녀의 양손은 곤충들로 뒤덮였고, 이마도 마찬가지였다. 그녀는 소스라치게 놀랐다. 눈물도 말라붙었지만 다시 흐느끼기 시작했다. 지나는 그녀의 손을 다시 잡으며 말했다.

"파스타요, 고기 소스가 좋으세요, 봉골레가 좋으세요?"

노파의 남편은 당황했고, 나아가 다소 거북해하는 듯했다. 지나는 말을 이었다.

"혹시 봉골레가 좋으시면 집에 만들어 놓은 게 있거든요. 저녁때가 아니라 당장이라도 가져다 드릴게요."

식료품상이 말했다. "봉골레 파스타는 안 좋아하는 사람이 없죠."

세관원 중 하나가 말했다. "아니요. 모두가 좋아하는 건 고기 소스죠. 봉골레가 아니라. 저만 해도 봉골레는 좋아하지 않는 걸요."

지나는 말했다. "그거 잘됐네요. 어떻게 할까요, 할머니?"

노파는 대답했다. "그럴 필요 없수." 그녀는 다시 생각하더니 남편을 가리켰다. "아니면 이 양반 먹게 조금 나눠주든가요."

지나는 대답했다. "당장 가져다드릴게요, 포도주랑 같이."

지나는 일어섰다. 나머지 사람들은 얼마간 더 노파를 바라보며 얼어붙은 듯 꼼짝도 하지 않았다. 노파는 지나가 일어나는 것을 보며 안간힘을 다해 모두에게 물었다.

"아이는, 사내애유?"

자크는 대답했다. "네."

노파는 생각에 잠겼다. 그녀가 생각하는 동안 아무도 입을 열지 않았다. 하지만 그녀는 그 이상 아무 말도 하지 않았다. 노파의 남편이 물었다.

"프랑스인들이오?"

자크는 대답했다. "네, 파리에서 왔어요."

"저 아가씨는?"

"영국인이에요. 런던에서 왔죠."

노인네는 말했다. "난 이탈리아인이오. 아내는 스페인 사람이고. 사라고사 출신이지."

식료품상이 남자를 돌아보았다. 남자는 말했다.

"저도 프랑스 사람입니다."

노인네는 말했다.

"내 아들놈도 마르세유에 한 번 다녀온 적이 있소. 사촌들이 거기 살아서 사촌들 집에 사흘 동안 있다 왔지."

"한창 귀엽겠구먼."

노파는 생각에 골똘한 채 재차 말하더니, 또다시 까무룩 잠이 들었다.

태양빛이 그들의 발을 파고들었다. 뜨거웠다. 산속의 모든 파리들이 전력을 다해 윙윙거리는 소리가 들렸다.

지나는 소곤거렸다.

"저렇게 계속 졸다니 어디 아프신 거 아냐?"

노파의 남편이 말했다. "아니오, 건강이라면 염려 없소. 피곤해서 그래요. 그뿐이오."

그들 일행은 자리에서 일어났다. 루디는 식료품상에게 같이 가겠느냐고 물었다. 그는 망설였다. 지나가 남아 있기를 권했다.

"파스타가 세 분이 드시고도 남을 만큼 있어요. 계세요. 내려가는 것보다 여기서 훨씬 잘 드실 테니." 그녀는 세관원들을 돌아보았다. "하지만 당신들 건 없어요, 당신들 몫까지 챙기기에는 파스타가…."

"우린 아무것도 바라지 않아요. 우린들 이러고 싶겠느냐고요…. 잘 아시잖아요."

식료품상이 끼어들었다. "젊을 땐 어리석은 법이죠. 예외 없이 모

68

두가. 상상력은 나이와 함께 생겨요, 흔히 그 반대라고 생각하지만, 그건 착각이지."

지나는 덧붙였다. "그리고 난 세관원들한테는 뭐가 됐든 줄 수 없어요. 그건 내 원칙에도 위배되거든요."

루디는 인사했다. "다들 안녕히 계세요."

그들은 길을 나섰다. 루디는 석연치 않은 표정이었으나 화난 것과는 거리가 멀었다.

"어쨌든 봉골레 파스타를 죄다 퍼줄 생각은 아니겠지, 그렇지?"

지나는 대답했다. "내가 어쩌는지 두고 봐."

절망한 루디가 우뚝 멈춰 섰다. 태양을 받으며 양팔을 들어 올린 그는 한 마리 말을 연상시켰다. 그는 영원히 말과 닮아 있으리라. 그가 말했다.

"말도 안 돼. 설마 다 주려는 거야?"

"내가 그러고 싶으면 그보다 더 줄 수도 있어. 당신은 호텔에 가서 먹으면 되잖아."

루디는 자크에게 설명했다. "내가 봉골레 파스타라면 사족을 못 쓰잖아. 지나가 노인네들한테 파스타를 모조리 갖다주려는 건, 바로 그래서야."

지나는 대답하지 않았다. 그녀는 사라의 팔을 붙들고서 걸음을 재촉했다. 남자와 다이아나가 그 뒤를 따랐다.

루디는 말했다. "내가 장담하는데 지나가 노인네들한테 저녁때가 아니라 점심에 봉골레 파스타를 갖다주려는 건 내가 봉골레 파스타라면 사족을 못 쓰기 때문이야. 내가 봉골레라면 정신 못 차린다는 게 별안간 생각난 거지."

자크는 대꾸했다. "응, 내가 봐도 확실히 그거네." 그는 낄낄거렸다.

지나는 사라의 팔에서 손을 떼고는 유유히 휘파람을 부는가 싶더니, 돌연 죽은 청년의 부모에게 한시라도 빨리 파스타를 갖다줘야겠다고 선언한 뒤, 산을 달려 내려갔다. 오솔길이 좁아졌다. 난데없이 미풍이 일었고 태양이 대장간의 화덕처럼 최대치의 열기를 뿜어냈다. 남자는 사라 뒤에서 걸었다. 루디는 자크에게 자신은 남편의 모든 말을 귀담아듣지 않는 악처를 뒀다며 푸념을 늘어놓았다. 자크는 늘 그렇듯 그의 말을 들어주었다. 사라는 그들의 대화를 남김없이 들었다. 남자는 그녀를 뒤따르며 담배를 피웠다. 그들은 호텔에 당도했고, 자크는 캄파리를 주문했다. 루디는 그것을 단숨에 들이켠 뒤 말했다.

"아! 난 세상의 늙은이란 늙은이들은 다 떠받드는 지나의 취미가 질색이야."

그는 집에 갔다 돌아오는 지나의 면전에 대고 이 말을 했다.

"저 인간 또 뭐라는 거야?"

다이아나는 대답했다. "봉골레 파스타가 정신 못 차리게 좋대."

지나는 말했다. "당신은 내일 해 줄게, 이건 양보해."

루디는 받아쳤다. "그런 말이 아니었어. 세상의 늙은이란 늙은이들은 다 떠받드는 당신 취미가 질색이라고 했어."

지나는 의자에 자리잡으며 말했다. "어디 계속해 봐."

루디는 말했다. "차라리 당신이 바람을 피우는 게 낫겠어."

다이아나는 말했다. "하여튼 캄파리는 마법이라니까."

남자가 받아쳤다. "맞아요, 이 술이 점점 좋아지는군요."

모두가 한 잔씩 더했고, 루디만 예외였다. 그는 말했다.

"아니, 난 집에 갈 거야. 가서 저 여자가 늙은이들한테 봉골레 파스타를 다 퍼주기 전에 내가 먹어치울 거야."

사라가 만류했다. "그건 그만 잊어."

루디는 대답했다. "도저히 그렇게는 안 되겠어."

다이아나는 말했다. "어린애랑 사는 건 참 피곤해. 유년은 아름답지만 종국엔 피곤해지지."

루디가 낄낄거리려고 했지만 다이아나는 정색을 했다. 그는 가버렸고 지나는 그를 뒤따랐다. 그들이 집에 들어가려는 순간, 아이가 집에서 나왔고 가정부가 아이의 뒤를 따랐다. 아이는 햇빛이 쏟아지는 마당을 달려 그들 앞에 섰다. 사라는 물었다.

"어떻게 두 사람이 여기 있어요?"

"꼬마가 집에서 점심을 먹으려 들질 않아서요. 루디 아저씨네 집에서 먹고 싶다나요. 아주머니가 꼬마 말이라면 뭐든 들어주시니, 저도 별 수 없이 그렇게 했죠."

아이한테서 봉골레 냄새가 훅 끼쳤다. 사라는 가정부에게 물었다.

"이 녀석이 봉골레 파스타를 먹었군요, 그렇죠?"

모두 웃음을 터뜨렸다. 다이아나는 캄파리를 세 잔째 마셨고, 사라는 두 잔째였다. 자크도 다이아나나 남자처럼 세 잔째였다.

가정부는 대답했다. "맞아요. 홍합이었나? 뭐 그런 거요. 게걸스럽게 먹어댔어요."

자크는 빙긋 웃으며 아이에게 물었다. "게걸스럽게 먹었니?"

가정부는 대답했다. "쟤는 한 대 맞아야 돼요. 식탁보를 온통 소스 범벅으로 만들어 놨거든요."

다이아나는 말했다. "녀석, 잘했어. 그깟 식탁보 따위 안 깔았으면 그만 아냐. 이런 데서 식탁보가 웬 말이야."

가정부는 대답했다. "루디 아저씨가 그걸 고집하세요. 그래도 그렇게 더럽혀서야 되겠어요? 어휴, 저 돼지새끼 같은 놈."

사라는 문득 귀가 쫑긋해져서 가정부를 향해 눈을 치떴다. 그녀는 아까부터 아이를 꼭 껴안고 있었다.

다이아나는 말했다. "아가씨는 정말 저 녀석을 참을 수 없나 보군요."

그녀의 목소리엔 분노보다는 호기심이 더 강하게 어렸다. 가정부는 그것을 알아차렸고, 대답했다.

"그건 아니에요, 다이아나 아주머니, 하지만 녀석이 도통 말을 들어 먹어야죠. 정말 말을 전혀, 전혀, 전혀 들어 먹질 않아요."

사라는 변호했다. "아직 다섯 살도 안 된 애예요."

가정부는 받아쳤다. "그래도 그렇죠. 저대로 응석받이로 키웠다간 건달 되기 딱 좋아요. 제가 장담해요."

다이아나는 말했다. "아가씨가 그렇다면 그런 건가요?"

"농담이 아니라니까요? 저렇게 크면 딱 건달이 되는 거예요, 아무짝에도 쓸모없는."

사라는 자기 자식을 바라보았다. 아이도 전력을 다해 가정부의 말을 들으며 이해하려 애썼다. 하지만 저 철없는 입, 봉골레 소스로 여전히 번들거리는 매끄러운 두 뺨, 태양의 향기가 밴 머리칼, 바다보다 더 순수하게 넘실거리는 분노로 춤을 추는 두 눈동자 너머로 과연 무엇을 예측할 수 있단 말인가? 아이가 발버둥치며 얼굴이 벌게져서 가정부를 탓했다.

"저 누나 꼴도 보기 싫어. 이 세상에서 제일 못됐어."

가정부는 머뭇거리는가 싶더니 어느새 아이를 빤히 바라보며 히죽거렸다. 사라는 말했다.

"알고 보니 둘이 죽이 잘 맞는구나."

다이아나는 말했다. "그렇지 않아."

가정부는 물었다. "한 시간만 외출해도 될까요?"

사라는 대답했다. "그렇게 해요. 왜 그런 것까지 일일이 허락을 구하는지 모르겠네."

자크는 덧붙였다. "가 봐요, 아가씨의 멍청한 세관원 애인은 여태 산에 죽치고 있더라고."

가정부는 대답했다. "그런데, 아저씨. 제 애인이 아저씨보다 더 멍청할 건 또 뭐예요? 안 그래요?"

다이아나가 깔깔거렸고, 자크도 따라 웃었다. 사라와 남자도 마찬가지였다. 자크는 말했다. "아니지, 확실히 그 친구가 나보다 더 멍청할거요."

"어쨌든 그 미친 노파가 신고서에 서명하려 하지 않는 게 그 사람 잘못은 아니잖아요. 그이는 자기 임무를 다하는 것뿐이라고요."

자크는 대답했다. "난 자기 임무를 다하는 자들을 혐오하죠. 자, 어서 애인한테나 가 봐요, 어서. 식료품상이 통역해 줄 거요. 그래 봤자 '사랑해, 내 사랑' 정도겠지만."

다이아나가 깔깔거리며 물었다. "아! 식료품상이 통역이야?"

가정부도 따라 웃으며 말했다. "달리 방법이 없잖아요?"

그녀는 얼굴을 붉히며 나가다가, 세 걸음도 못 가서 되돌아왔다.

그리고는 얼굴에서 웃음기를 거두고 자크에게 진지하고 엄숙하게 말했다.

"어쨌든 주인 따라 외국에 오는 건 이제 다시 하지 않겠어요."

그녀는 가 버렸다. 아이는 엄마 품에서 빠져나와 호텔로 가더니 사탕을 갖고 돌아왔다. 자크와 사라와 다이아나는 점심식사를 시작했다. 남자도 자기 테이블로 가서 먹기 시작했다. 다이아나는 말했다.

"내보내야 할 거 같아. 네가 더는 못 데리고 있겠어."

사라는 대답했다. "난 크게 거슬리지 않거든. 만일 내보내야 한다면 아이를 위해서 내보내는 거지. 도무지 아이를 못 참아주니. 비굴한 구석이 전혀 없어서 마음에 들었는데."

자크도 의견을 보탰다. "그건 그래, 그래도 더 데리고 있을 수는 없어."

사라는 말했다. "처음엔 저렇지 않았는데. 많이 변했고, 자기도 그걸 알아, 그게 우리 잘못이라고 하니까."

다이아나는 말했다. "어쨌든 바꿔야 돼."

사라는 말했다. "나를 위해서라면 더 데리고 있는 게 나은데. 가정부를 구하는 건 지치는 일이거든."

자크는 물었다. "뭐가 그렇게 지치는데? 그럼 내가 구해줄게."

그들은 똑같은 생각을 떠올리며 동시에 웃었다. 다이아나가 황급히 말했다.

"이 지역의 장점이라면 단연 포도주지. 하지만 시원하게 마셔야 돼. 이 호텔은 한 번도 알맞은 온도로 내오는 법이 없더라고."

자크는 말했다. "한 번 알아보자고. 가정부 때문에 인생을 망칠 수는 없잖아." 그는 다이아나를 돌아보며 씩 웃었다. "포도주 얘기는 맞는 말이야. 시원한 포도주를 마실 수만 있다면 난 뭐든 다 내놓겠어."

아이는 식사 중에 빈 테이블에 엎드려 잠이 들었다. 사라는 아이를 자동차 뒷좌석으로 옮겼다. 그녀가 테이블로 돌아오자 다이아나가 남자를 거론했다.

"함께 커피 마시자고 하면 어떨까?"

자크는 찬성했다. 남자가 커피를 마시러 왔다. 그들은 더위와 바다와 세계의 전쟁 발발 가능성에 대해 이야기를 나누었다. 더위와 바다를 제외하고는, 아무도 의견의 일치를 보지 못했다. 사라와 자크는 아이 때문에 금세 자리를 떴다. 그들은 아이를 깨우지 않은 채 집에 데리고 왔다. 사라는 평소대로 아이 곁에 누웠다. 그녀는 이곳이 아이에게 적합하지 않다고 생각하며, 아이가 쾌적하고 시원하게 잠들 수 있을 다른 장소로의 휴가를 꿈꾸었다. 날씨가 어찌나 무더웠던지 조만간, 어쩌면 당장 오후에라도 비가 내릴 것만 같았다. 그녀는 그 희망을 간직한 채 잠이 들었다.

2

하지만 그녀가 잠에서 깨어났을 때, 하늘은 또다시 개어 있었다. 그녀가 잠든 건 불과 한 시간 남짓이었다. 그녀는 아직 자고 있는 아이를 깨우지 않기 위해 천천히 몸을 일으켰다. 가정부는 아직 돌아오지 않았다. 자크도 아직 자고 있었다. 가정부가 외출한 지 두 시간이 지났다. '정말 가정부를 바꿔야 할까 봐.' 그녀는 생각했다. 하지만 이런 생각이 들 때마다 굳이 그럴 필요가 없다는 생각이 이어졌다. 어쩌면 그들 부부는 헤어질지도 몰랐다. 그렇게 되면 어차피 가정부는 필요 없어지리라. 혼자 사는 사람에게 가정부는 불필요했다.

그녀는 정원으로 나가 베란다 계단에 앉았다. 이웃 어부들은 벌써 바다로 나가고 있었다. 그들은 일렬종대로 서서 그물이며 노를 배로 옮겼다. 미풍이 일었다. 이제 그 바람은 새벽까지 계속 불어올 터였다. 물론 더운 바람이었지만 그것은 땀을 식혀 주었고, 오후는 오전보다 한결 견딜 만해졌다. 섬 근처 왼편에서는 어부 한 명이 홀로 그물을 던지고 있었다. 그는 느릿느릿 그물을 끌어당겨 발레리나처럼 빙그르 한 바퀴 돌며 한 번에 휙 던졌다. 그물이 어부 앞에 거대하게, 그걸 펼친 극히 작은 사람에 비해 한없이 거대하게 펼쳐졌다. 이어서 어부는 똑같은 노련함과 인내심을 발휘하여 다시 느릿느릿, 그물을 당겼다가 던졌다. 세 번째엔, 물고기 몇 마리를 낚아 올렸다. 물고기들이 햇빛을 받아 반짝거렸다. 어부가 사라에게 원숭이들의 울음소리가 메아리치던 하구의 늪지, 그 잿빛 강에서 그와 똑같이 완벽하고 침착하게 그물을 던졌던 다른 어부들을 상기시켰다. 정신을 조금만 집중해도, 바람에 잎이 떨어진 야자수의 신음과 바다의 포효가 뒤섞이고 거기에 맹그로브 나무들 사이를 뛰놀던 원숭이들의 깍깍거림까지 가세한 소리들이 들려왔다. 그들은 사라와 오빠, 그렇게 둘이었고, 조각배를 타고서 쇠오리를 사냥했더랬다. 이젠 오빠는 죽고 없다. 삶이란 그런 것이었다. 사라는 삶의 그런 원리에 익숙해졌다고 믿었고 그 범주 안에서 벗어나고 싶어하지 않았다.

어부가 물고기를 몇 차례 더 낚아올렸다. 오빠는 죽었고 그와 함께 사라의 유년도 사라졌다. 삶은 늘 그런 식이었고 사라는 그런 때마다, 따라서 그 당시에도, 그렇게 믿고 싶어했다.

자크가 깨어났다. 그가 욕실로 가는 소리가 들렸다. 그녀도 욕실에 가야 했고, 아이를 챙겨야 했으며, 다이아나와 루디와 지나를 만나러 호텔로 가야 했다. 그들은 오늘 오후에 무언가를 함께 하기로 했는데 그게 무엇이었는지는 -어느 해변이었더라?- 정확히 기억나지 않았지만, 약속이 잡혀 있었다. 그녀는 여기 별장보다 호텔에 있는 것이 더 좋았다. 할 수만 있었다면 호텔에 살았으리라. 왜냐하면 사라는 더는 자기 소유의 집을, 아파트를, 한 남자와의 공동생활을 원하지 않았기 때문이다. 젊었을 땐 그런 것들을 갈망했다. 이젠 늙어가는 시기라고 생각한 만큼 그녀는 다른 식으로 살고 싶었고, 이 남은 날들을 다른 곳, 예컨대 호텔의 익명성 속에서 보내고 싶었다.

자크가 현관 계단에 모습을 드러냈다. 포도를 우물거리고 있었다. 그의 눈에도 어부가 바로 들어왔다.

"뭔가 잡았나?"

"매번 잡히기야 하겠어. 두 번 정도 낚아 올렸어."

"정말 더워, 돌아 버리겠어."

호텔에 살고 싶다는 이 바람은 자크에 대한 사라의 감정과는 아무 상관 없었다. 그것은 그저 그녀가 몇 년 전부터 자신과 삶에 대해 개별적으로 품게 된 감정과 관련이 있었다. 게다가 그녀는 이제 자신이 늙어 가기 시작했다고 생각했고, 그렇다면 이 시기는 다른 곳, 자크와 멀리 떨어진 곳에서 -왜냐하면 어쨌든 사라는 여전히, 사랑만큼은 늙을 수 없는 거라고 믿었기 때문에- 보내고 싶었으며, 정말이지 누가 됐든 이제 더는 자신의 까다로운 성미로 인해 괴로워하게 하고 싶지 않은 마음이 간절했다. 호텔에선, 그녀로 인해 괴로워할 사람은 없다. 그리고 바로 그렇기 때문에 까다로운 성미는 그 어느 곳보다 호텔에서 활개를 활짝 편다. 자크는 그물을 던지는 어부의 동작에 완전히 몰입했다. 그는 말했다.

"이야, 나도 정말 낚시 욕구가 불끈거리네."

까다로운 성미도 마찬가지이다. 때때로 성미를 드러내고 싶다는 욕구가 불끈거린다. 그리고 호텔은 그러기에 적격인 곳이다.

자크는 말했다. "친구들한테 가야지. 큰 해변에서 만나기로 약속했잖아."

"가정부는 아직 안 왔고, 애는 자고 있어. 난 못 가겠어."

"데려가면 되지, 간단하잖아, 가자."

"난 그냥 오늘은 작은 해변에 가도 아무 상관 없어."

"아니, 저녁엔 큰 해변에 가는 게 나아."

그는 또다시 이제 막 물고기를 낚아올리는 어부를 바라보았다. 그가 말했다.

"나도 당신하고 같이 수영하고 싶기도 하고."

"내가 수영을 잘해야 말이지."

"난 당신이 잘하게 될 때를 계속 기다리고 있어." 그는 덧붙였다.

"그런데 저기 저 어부는 왜 늘 한자리만 고수하는지 모르겠군."

그는 왼쪽의 다른 어부를 가리켰다. "벌써 네 번째 허탕이구먼."

사라는 말했다. "당신이 가서 한 수 가르쳐 줘야겠군."

자크는 잠시 침묵했다가 물었다. "또 왜 그래?"

"오후에 낮잠을 자지 말아야 할까 봐."

그는 다정하게 물었다.

"왜 그러는데?"

"아무것도 아냐. 그냥 여기가 싫어. 휴가가 엉망이라고."

"그렇지 않아. 휴가는 우리가 만드는 대로 되는 거야. 그 나이가 돼서 아직까지 그런 것도 모르면 경험은 대체 어디에 쓸래?"

그는 다시 한번 그녀 곁으로 다가와서 말했다.

"실은 당신이 이 휴가가 엉망이 되기를 바라는 거 아냐?"

"아마도."

"그래서 그게 내 책임이기를 바라고, 또 루디 책임이기를 바라는 거지. 진실은 감히 말할 수 없으니까."

그는 베란다 계단의 그녀 곁에 앉았다. 그가 말했다.

"내가 알고 싶은 건 왜 당신이 그렇게까지 이 휴가가 엉망이 되기를 바라냐는 거야."

사라는 강 쪽을 바라보았다. 어부가 물고기를 낚아올렸다. 자크 또한 그 모습을 지켜보았다. 그가 물었다.

"왜지?"

"모르겠어."

"알고 싶지 않은 거야, 아니면 정말 모르는 거야?"

"그걸 설명하려면 10년은 걸릴 것 같아."

"알아, 당신이 그런 의문들 따위 떠올리지 않고서, 몇 달이고 살 수 있다는 거."

"난 그냥 더위를 못 견디겠어."

"알아, 그건 루디도 마찬가지야."

"어떨 땐 내가 더 이상 루디도 좋아하지 않는 것 같아."

"어쩌다 홧김에 한 번 당신에 대해 그런 말을 했다고 싫어진다면, 그건 당신이 그 친구를 애초에 좋아하지 않았다는 거야."

"누가 알아? 어쩌면 정말 루디를 애초에 좋아하지 않았는지도."

그는 그녀를 품에 안아 들어올리더니 말했다.

"제발, 가자."

"알았어, 큰 해변으로 갈게."

그녀는 남편의 품에서 빠져나와 욕실로 갔다. 그가 따라왔다.

"다 지겨워? 그런 거야?"

그녀는 대답하지 않았다.

"그거야? 아니면 다른 뭔가 있는 거야?"

"그거야, 지겨워서 그래."

"나도야, 나도 굉장히 지겨워." 그는 덧붙였다. "그런데 뭐가 지겨워?"

그녀는 몸을 곧추세우며 미소를 보이려 애썼다.

"나도 잘은 몰라, 뭐가 지겨울까, 가령 루디가 나에 대해 했다는 말을 용납하지 않았어야 할 남편?"

그가 잠시 사이를 두었다가 물었다.

"그 친구 말이 사실이었더라도?"

"그렇다면 그게 왜 사실인지 잘 생각해 봤어야지."

이번엔 그가 대답하지 않았다. 그리고 잠시 뒤 말했다.

"그건 핑계야. 거짓말이라고."

그는 대답을 기다리지 않고 혼잣말처럼 말했다.

"루디는 당시 그런 말이 나올 기분이었어. 또 나는 당신한테 그 말을 전할 기분이었고. 그 모든 게 아무것도 아냐. 당신이 더 잘 알잖아."

"난 여전히 잘 모르겠는데? 됐어, 어차피 또 아무것도 아닌 일로 잊어버리게 될 테니."

"살다 보면 그럴 때들이 있어. 어떤 것들이 중요하고 결정적이라고 믿고 싶어지는 때들이. 안 그래?"

"그럴지도."

그는 그녀를 부둥켜안고서 키스한 뒤 말했다.

"난 상대방이 무슨 생각을 하는지 혼자서 알아맞히려고 이리 저리 머리 굴리는 게 싫어. 상대방이 날 도와주지 않으니까…."

"왜 상대방이 슬픈지, 아니면 또 어떤 기분인지 기를 쓰고 알려고 하는 건데?"

"내가 당신 기분이 어떤지 더 이상 관심 없게 되면, 그땐 내가 더는 당신을 사랑하지 않는 거야."

그녀는 남편의 품에서 빠져나와 미소를 띠며 물었다.

"그래서 내가 왜 그런 거 같아?"

"이번엔?"

"응."

그는 약간 머뭇거리며 말했다.

"하나도 새로울 게 없어. 당신은 내가 지겨운 거야."

그는 껄껄거리기 시작했고, 그녀도 따라 웃었다. 그는 덧붙였다.

"내가 당신을 지겨워하는 거나 마찬가지지. 그런 건 누구도 어쩔 수 없어."

그는 아내를 다시 끌어안고는 말했다.

"그리고 설령 다른 게 있다 하더라도 내가 그걸 당신한테 순순히 털어놓을 만큼 멍청해 보여?"

"난 그 정도로까지 당신을 알지 못해."

그는 아내를 품에 안고서 시선은 강에 던져지는 그물들에 둔 채 한동안 말이 없었다.

"자, 가자. 루디가 기다려."

그는 그녀를 풀어주며 왼편의 어부를 가리켰다.

"걸렸다, 드디어 잡았네."

푸른 물고기들이 어부의 그물 속에서 반짝거렸다. 그물이 제법 묵직했다. 사라는 말했다.

"거봐, 어련히 알아서 잘하고 있잖아."

"무더기로 잡았네." 자크는 말하고는 소리를 한층 낮춰 덧붙였다. "나도 저 강에서 물고기들을 저렇게 건져 올려보고 싶어…. 루디가 낚시를 싫어해서 아쉬워."

"그건 이유가 안 돼."

물고기들이 일단 배로 옮겨지자 자크는 흥미를 잃었다. 그는 재차 말했다.

"자, 가자." 그는 주저하더니 내처 말했다. "우선 말하겠는데, 당신은 어쩌면 생각만큼 나를 그렇게 지겨워하는 게 아닐지도 몰라. 다음으로는 일전에도 이야기 나눴듯, 우리가 정말로 헤어져야 한다면 그 생각으로 미리부터 공연히 삶을 망칠 이유가 없어."

"정말 의심의 여지가 없네, 당신이 낙천적 성격이라는 건."

"맞아."

그는 아이를 살살 깨워 품에 안고 나왔다. 그들은 아이에게 시원한 물을 끼얹어 주었다. 자크는 말했다.

"난 녀석이 너무 자는 게 영 마뜩지 않아. 애가 멍해지거든. 멍하면 덜 귀엽지."

"난 더 귀여운데."

아이는 듣고 있었고, 전혀 개의치 않았다. 자크가 도마뱀 얘기를 꺼내자 아이는 즉시 두 눈을 빛냈다. 사라는 욕실로 가서 샤워를 한 뒤 옷을 갈아입었다. 반바지에 흰색 블라우스를 걸쳤다. 자크가 머리 좀 잘 빗어 보라고 소리쳤다. 사라는 공들여 머리를 손질했다. 이날은 자크가 요청하지 않았어도 그리했을 터였다. 그녀가 욕실에서 나오자 가정부가 와 있었다.

"저 왔어요. 제가 필요하세요?"

사라는 대답했다. "아니, 우린 큰 해변에 갈 거예요. 어때요, 산엔 새로운 소식이라도 있나요?"

"전혀요. 근무 교대 시간이 다섯 시라서 전 내려왔어요. 그런데 이렇게 다들 외출하시는 줄 알았으면… 일찍 올 필요가 없었네요."

"그래요, 하지만 어쨌든 약속보다 한 시간 늦었어요."

"열 시간을 늦은들 어떻겠어요? 아무 할 일이 없는걸."

자크가 끼어들었다. "우리가 만일 큰 해변에 가지 않았더라면, 애를 봐야 하니 아가씨가 필요했을 거예요. 할머니는 여전히 서명

안 하고요?"

"네, 거기에 그 망할 식료품상 인간까지 옆에서 서명하지 말라고 부추기고 있잖아요. 저한테 뭐라고 하셔도 좋지만, 식료품상 그 인간 제정신이 아니에요."

"왜 할머니가 서명하면 안 되는지, 그 이유도 말하던가요?"

"그럴 리가 있겠어요. 그냥 자기는 이해한다, 자기가 할머니였더라도 할머니처럼 했을 거다, 그 말뿐이에요. 제가 세관장이었다면 어떻게든 강제로 서명시켰을 거예요, 어떻게든."

"어떻게요?" 자크는 물었다. 그의 얼굴이 분노로 허옇게 질렸다.

가정부는 대답했다. 그녀는 자크의 어조에 겁을 먹었다. "글쎄요, 예를 들면 비누상자를 뺏은 척한다든가요. 생각해 보세요, 그 상자를 마냥 지키고 있어야 하는 젊은 사람들의 인생은 뭐냐고요."

사라가 끼어들었다. "끔찍한 말이네요. 가만 보면 정말 나쁜 사람이다 싶을 때가 있어요."

가정부는 약간 불안한 눈빛으로 사라를 올려다보았다가 다시 정신을 가다듬었다. 그녀는 말했다.

"저는 너무 유난떠는 사람들이 싫어요. 그냥 남들하고 똑같이 하면 그만이잖아요. 불행을 당했다고 해서 유난을 떨어도 되는 건 아니죠…."

자크는 말했다. "모르는 소리 말아요. 그 할머니는 평생을 남들하고 똑같이 살았어요, 육십 평생 동안 최대한, 남들하고 똑같아지려고 애썼다고요, 최대한. 그런데 이젠 문득, 그러고 싶지 않아진 거지. 그 할머니도 그럴 권리가 있지 않아요? 안 그래요? 어디 한 번, 말 좀 해 봐요."

가정부는 당황하여 대답했다. "글쎄요. 어쨌든, 그게 이유는 안 돼요."

자크는 말했다. "가서 세관원 애인하고나 놀아요. 저녁 시간까지 우리를 귀찮게 하지 말고 조용히 내버려두라고."

가정부는 말했다. "주인들 따라 이런 촌구석엔 다시 오지 말아야지, 한 번 들어오면 다시 나갈 수가 있나, 이거 원, 꼼짝없이 기다려야 하고. 재수가 없어. 생각할수록 재수가 없어. 내 이럴 줄 알았어."

자크는 누그러진 어조로 달래듯 말했다. "자, 그래도 세관원은 잘해주죠? 안 그래요?"

가정부는 대답했다. "프랑스어를 한 마디도 못하는 걸요. 게다가 인생을 함께할 수 있는 관계도 아니고요."

그녀는 집으로 들어갔고, 그들은 강을 따라 해변으로 걸어갔다. 어부는 지치지도 않고 여전히 그 자리를 지킨 채 그물을 던지고 있었다. 그는 그물을 던질 때마다 노를 저어 5미터 앞으로 나간 자리에서 새로이 던졌다. 자크는 걸음을 멈추고서 그를 바라보았다. 하지만 그들은 어부에 대해 별다른 이야기를 나누지는 않았다.

사라는 쓴웃음을 지으며 말했다. "맞는 말이긴 해. 우리랑 여기 이렇게 갇혀 지내는 게 묘한 상황이긴 할 거야."

자크는 대답했다. "당연하지, 사실 거의 맞는 말만 하는 애야. 죽은 청년 부모한테 프티 부르주아처럼 군 것만 제외하면." 그는 미소 지었다. "따지고 보면 세상에 서로가 서로에게 안 갇혀 사는 사람이 어디 있겠어?"

그는 또다시 그녀를 끌어안았다. 이어서 그들은 어부와 낚시에 대해 이야기를 나누었다. 자크는 말했다.

"어쨌든 한 번은 낚시를 하고 싶어. 루디랑 푼타 비앙카의 암벽들이 있는 데로 나가봐도 좋겠고."

"루디는 낚시를 좋아하지 않아. 차라리 우리 둘이 가는 것도 괜찮지. 왠지 몰라도 난 바다 낚시보다는 강 낚시가 좋더라."

"나도. 하지만 강 낚시를 하려면 허가를 받아야 돼. 나도 강이 더 좋아. 아마 조용히 기다리는 데는 바다보다 강이 제격이라서 그럴 거야."

아이가 끼어들었다. "난, 내가 좋아하는 건 바다에서 모터보트 타고 낚시하는 거야. 아빠랑 루디 아저씨랑, 엄마는 빼고."

사라는 말했다. "얘가 요즘 나를 그리 좋아하지 않아."

아이는 말했다. "나 그 아저씨 좋아. 아주 많이, 그 아저씨 배는 아주 멋져."

자크는 말했다. "이런 바보 같은 녀석! 네가 그 아저씨가 좋다면, 우린 더 이상 널 좋아하지 않을 거다."

아이는 물었다. "왜?"

사라도 물었다. "왜?"

자크는 사라를 바라보며 대답했다. "그냥."

루디의 집엔 아무도 없었다. 호텔도 마찬가지였다. 남자의 배도 부교에 정박해 있지 않았다.

세 가족은 강 건너의 뱃사공이 오기를 기다렸다. 하늘이 다시 흐려졌고, 강 건너 사람들은 비를 운운했다. 남쪽에선 여전히 미풍이 불어왔다. 아이는 강을 따라 내려갔고 사라는 아이 뒤를 따랐다. 자크는 지나네 가정부와 이야기를 나누었다. 그녀는 스무 살 가량의 아름다운 아가씨였고 사라는 자크가 그녀를 마음에 들어 한다는 걸 알아차렸다. 이윽고 뱃사공이 도착했다. 강을 건너는 데는 오래 걸리지 않았다. 배엔 그들 가족 말고도 청년 둘이 타고 있었는데, 그들은 이틀 전부터 마을에서 무도회가 열리지 않는다며 투덜거렸다. 즐기기 위해 이곳에 왔는데, 전혀 즐기지 못했다는 것이었다. 사공은 저기 호텔 위에 있는 산속의, 두 그루의 무화과나무 사이에 하얀 벽만 남은 곳에서 한 청년이 지뢰 폭발 사고로 죽었기 때문이라고 설명했다. 하지만 두 청년은 이미 알고 있었다.

"그 부모들이 저기서 일주일 동안 잠도 안 자고 버티면, 일주일 동안 무도회도 안 열리는 건가요?"

늙은 뱃사공은 대답했다. "오늘 밤부터 다시 열려요. 세관장이 지시했나 보더라고. 난 거기에 대해 이렇다 할 의견이 없소. 무도회야 열려도 그만 안 열려도 그만이지만, 그렇다고 고통이 가시고 그 생각이 안 떠오르겠느냐 말이오."

자크는 노인에게 물었다. "그 세관장이란 이는 어떤 사람인가요?"

"나도 잘 몰라요." 그는 두 청년을 경계했다. "말수가 적고, 자기 직업을 진지하게 여긴다고 합디다. 사람들 얘기로는 좋은 세관장인 것 같소."

자크는 말했다. "하기는 세관원이란 직업이 소명의식이 있어야 하는 거죠." 그는 사라를 돌아보았다. "모르긴 해도 조각배 밑바닥에 숨겨 둔 카멜 담배 쉰 갑을 발견하는 기쁨은 그야말로 특별할 거야."

뱃사공은 대꾸했다. "여기서 적발되는 것들은 별게 없소. 말씀하셨듯 담배가 흔하고, 이따금 키안티 포도주나 배의 작은 모터 정도가 고작이에요."

사라가 끼어들었다. "사실 세관원들의 은밀한 소명의식이 다른 직업군의 그것보다 좀 더 무섭긴 해요."

청년들은 노래를 흥얼거리기 시작했다. 강 건너에 도착했다. 자크는 노인과 몇 마디를 더 주고받았고, 이윽고 그들 세 식구는 해변으로 향했다. 강 건너는 차들이 제법 많이 다녔다. 도로들이 여러 갈래로 나 있었고, 특히 7킬로미터 남짓 떨어진 곳에 매우 넓은 국도가 있었다. 오토바이들이 먼지 구름을 일으키며 바람처럼 내달렸다. 길가 곳곳의 정원이며 과수원들이 먼지를 뒤집어썼다. 그들은 해변에 바로 못 미친 곳에 위치한 작은 바에 들러 캄파리를 마셨다.

모두가 와 있었다. 남자를 포함하여 마을의 휴가객들 전부가. 남자의 배도 바다와 해변의 경계에 정박해 있었다. 이 해변은 광활했고, 평원의 한쪽 끝인 산기슭에서 강어귀까지 -5 킬로미터- 조금의 단층도 없이 매끄러운 곡선으로 이어졌다. 멀리서 휴가객들이 그룹별로 모여 있었다. 루디는 그들을 향해 늘 그렇듯 말처럼 한달음에 달려왔다. 그가 사라의 한 팔을 잡았다. "오늘 굉장히 예쁜걸."

사라는 대답했다. "그런 날도 있고 안 그런 날도 있고."

아이가 루디의 반바지 자락에 매달리자 루디는 사라의 팔을 놓고서 아이를 번쩍 들어올려 어깨에 태운 뒤 말했다.

"이 녀석, 이 귀여운 녀석, 얼마나 귀여운지! 아무래도 내가 어느 날, 녀석을 잡아먹고 말지 싶어."

아이는 말했다. "루디 아저씨, 좋아."

루디는 말했다. "보아하니 또 멍하니 늘어져 낮잠들을 잤구먼. 너희 가족이 제일 늦었어, 하기는 평소보다 더 늦은 것도 아니지만. 그거 알아?" 그는 낄낄거렸다. "이젠 다들 너희 가족을 잘 아니까, 더 이상 기다리지도 않는다는 거."

아이는 말했다. "집 앞에 어부가 있었어요. 나도 물고기 갖고 싶어요."

"물고기가 왜 그리 좋은데?"

"몰라요. 물고기가 아저씨보다 훨씬 좋아요."

루디는 말했다. "이런 고얀 놈, 물고기들한테도 네가 고얀 놈이라는 걸 알려야겠다. 물고기들이 내 친구거든, 아저씨는 물고기들하고 말도 해."

아이는 말했다. "거짓말."

자크는 말했다. "저기 그 장(Jean) 선생이 오는군."

루디가 생각난 듯 말했다. "아, 그렇지. 깜빡하고 얘기 안했는데, 지나랑 다이아나랑 나랑 다 같이 저 친구 배를 타고 여기 왔어."

자크는 말했다. "그 친구 아주 흡족했겠구먼. 며칠 전부터 우리 모임에 끼려고 기를 썼으니. 그래서 어땠어? 좋았어?"

루디는 자크를 돌아보았다. "끝내줬지. 서글서글하고 괜찮더라고, 저 친구. 처음엔 좀 경계했어, 나한테 뭔가를 알아내려고 여기 온 건가 싶었지. 그런데 아니야. 아무것도 안 물었어."

자크는 말했다. "괜찮은 사람일지도 모르지, 그럴 수 있어. 하지만 난 저 친구 배가 거슬려."

"배를 얼마나 잘 모는데. 너는 상상도 못할 거야. 왠지 모르지만 난 다이아나랑 이어져도 괜찮을 것 같다는 생각이 들어. 엊저녁부터 그런 생각이 들더라고, 다이아나를 위해 그런 일이 일어나길 바라고 있지."

자크는 말했다. "착각이야."

"안될 게 뭐야? 휴가란 게 원래 그런 거 아냐? 다이아나 같은 여자에게 남자 없는 휴가란 우울한 거라고."

"난 모르겠네. 당연히 우울하겠지. 그렇지만 다이아나랑 저 친구 사이엔 아무 일도 일어나지 않을 거야." 그는 조금 머뭇거리다가 말을 삼켰다. "10년을 기다려 봐라, 그 둘이 이어지는지. 그건 그렇고 봉골레 파스타는 어떻게 됐어?"

"죄다 퍼줬어, 마지막 조개 한 마리까지 싹싹 긁어서. 내가 그나마 조개 두 마리라도 쟁취하려고 덤벼들었지만 그것마저도 주기 싫어하더라고. 그런데 이상하지? 아무리 그래도 난 그 여자가 좋으니. 그래, 아무리 그래도, 심지어 그 여잘 증오할 때조차."

"이해해."

"응, 목을 조르고 싶을 때조차 지나가 좋아. 그 여자를 사랑하지 않은 적은 단 한순간도 없어. 배를 탔을 땐 내색하고 싶어하지 않았지만 몹시 즐거워했지. 몹시 아름답기도 했고. 특히 그 두 눈이."

사라가 끼어들었다.

"즐거워했다니 다행이야."

루디는 계속해서 말했다.

"그 여자는 거짓말쟁이는 아니지만 거짓말을 하기도 해."

자크는 받아쳤다.

"누구나 거짓말을 할 수 있지, 다행히도."

루디는 계속해서 말했다.

"지나는 악하진 않지만 잔인해지기도 해, 재밌군."

자크는 물었다. "그래서 봉골레 대신에 뭘 먹었어?"

"별거 안 먹었어, 호박 튀김." 그는 서글픈 얼굴로 덧붙였다. "어쨌든 오늘은 입맛이 없더라고. 내가 봉골레에 너무 집착했나 봐."

사라는 말했다. "대체 어떻게 하면 그렇게 음식을 가지고 질척댈 수 있는 거야? 정말 놀랍다."

"내가 음식에 바짝 관심을 보이는 날은, 일도 바짝 하는 날이야, 그건 확실해."

루디는 웃기 시작했지만 다소 어색한 웃음이었다. 자크는 말했다.

"아무튼 음식에 너무 집착하는 것 같긴 해, 루디. 좀 너무. 음식에 관심을 갖지 말란 얘기가 아냐. 아무거나 되는 대로 먹는 사람들도 미덥진 않지만 너는…."

루디는 외쳤다. "음식은 나한텐 상징적인 거라고."

자크가 받아쳤다. "물론이야. 그래도 음식이 번번이 상징적일 수야 있나. 그래 봤자 음식인 걸."

자크는 껄껄 웃었고, 루디도 따라 웃었다. 사라는 말했다.

"다이아나가 장이랑 같이 있네."

자크는 사라를 돌아보며 미소 지었다.

"당신도 저 둘이 함께 잤으면 해?"

"난 늘 다이아나가 누구라도 상관없으니 누군가와 잤으면 해, 내가 바라는 건 그거야."

"눈물겨운 우정이군. 실은 내가 바라는 것도 그거야."

루디는 자기 말을 이어갔다.

"요리도 얼마나 잘하는지 몰라. 날 이렇게 만든 게 바로 그 여자라니까. 이 방면으론 난 이제 망했어. 나도 어쩔 수 없을 만큼 먹는 게 좋거든."

지나는 호텔에 묵고 있는 두 여자와 제법 멀리 떨어진 바다에 있었다. 다른 휴가객들은 수다를 떨거나 공놀이를 했다. 아이들이 꽤 많았다. 부부마다 아이가 적어도 하나씩은 있었으니까. 아이는 다른 아이들을 향해 달려갔다. 아이들은 하나같이 홀딱 벗은 채 바다를 따라 일렬로 서서 태양이 산꼭대기에 닿을 무렵의, 밤과 함께 밀려오는 작은 파도들을 기다렸다. 지나가 사라한테 함께 수영하자고 외쳤다. 하지만 너무 멀리 나가 있었다. 사라는 다이아나에게 갔다. 다이아나는 이미 바다에 들어갔다 나와 수영복 차림으로 남자 옆에 누워 있었다. 남자도 바다에 한차례 다녀왔다. 두 사람이 함께 수영한 듯했다. 사라는 말했다.

"나도 물에 갔다 올게. 한 번은 들어가 줘야 맛이지."

그녀는 블라우스와 반바지를 벗었다. 자크와 루디는 이미 물속에 있었다. 사라는 물속으로 느릿느릿 스며들었다. 루디가 그녀 앞에서 춥다고 외치며 부들거리는 시늉을 했다. 그는 이곳에서 유일하게 춥다고 말하는 이였다. 사라는 그를 바라보며 이 생각을 다시 한 번, 확인을 하는 차원으로 스치듯, 떠올렸다.

바다는 루디의 말과 달리 해가 기울어 감에 따라 그만큼 더 따뜻해졌다. 사라는 자크와 함께 양팔을 몇 차례 휘저어 나간 뒤 배영자세로 누워 바다에 뜬 채 미동도 하지 않았다. 자크는 고개를 숙인 채 바다를 향해 멀어졌다. 사라는 다이아나 쪽으로 돌아왔고, 수건으로 물기를 닦았지만, 수영의 냉기를 간직하기 위해 젖은 수영복은 벗지 않았다. 남자는 미소 지으며 몸을 훔치는 사라를 바라보았다. 사라는 그 시선으로 남자와 다이아나 사이에는 아무 일도 일어나지 않으리라는 걸 알았다. 다이아나는 해변의 다른 이들과 다름없이 그 사실을 알아차리지 못했다. 그녀는 말했다.

"물속에 얼마 안 있었네."

사라는 대답했다. "내 실력으로 얼마나 오래 있겠어."

"난 바다 속에서 아예 살고 싶어."

"무슨 소리야…." 그녀는 덧붙였다. "무슨 문제라도 있어?"

다이아나는 말했다.

"누구나 저마다의 자잘한 문제들이 있지. 그 자잘한 문제가 커질 수도 있고."

남자는 미소 지으며 끼어들었다. "어쩌면 의지의 문제 아닐까요."

다이아나는 대답했다. "그렇게는 생각 못 해봤네요." 그녀는 덧붙였다. "루디가 조개를 단 한 개도 못 먹었다는 소리 들었어?"

남자가 다시 끼어들었다. "설마, 그럴 줄이야. 전 말은 그렇게 해도 마지막 순간엔 남편한테 주겠거니 생각했죠."

다이아나는 말했다. "자크는 뭐래?"

사라는 대답했다. "아무 말도 안 해." 사라는 남자를 향했다. "남자들은 이 일을 어떻게 생각하나요? 그쪽 생각은 어때요?"

"말하자면…" 남자는 피식 웃었다.

다이아나는 말했다. "네, 바로 그거예요."

사라도 말했다. "알 것 같네요."

그들은 다 함께 너털웃음을 터뜨렸다. 다이아나는 말했다. "차라리 지나가 바람을 피우는 게 나았을지도 몰라, 봉골레 파스타를 못 먹게 하는 것보다."

남자도 사라도 반박하지 않았다. 멀리서 아이가 다른 아이들 무리에서 떨어져 나와 바다로 들어갔다. 사라는 말했다.

"저 개구쟁이 녀석, 빠지면 어쩌려고."

그들은 바다 쪽을 바라보았다.

"괜찮아요."

남자는 사라를 돌아보며 말했다. 사라는 주춤거리다가 어쨌든 일어나서 다시 바다로 들어가 아이를 해변으로 데리고 나왔다. 아이는 엄마가 이끄는 대로 순순히 끌려 나왔다. 그녀는 아이의 물기를 오랫동안 꼼꼼히 닦아준 뒤 자신도 물기를 닦아내고서 다이아나 곁에 다시 앉았다. 사방으로 바람이 통하는 탁 트인 이 공간의 이 시간 무렵은 감미롭기까지 하다.

다이아나는 기지개를 켜며 말했다. "정말 좋다."

사라는 다이아나의 가방에서 담배 한 대를 꺼냈다. 남자가 불을 붙여주었다. 사라는 말했다.

"다 함께 배를 타고 오셨다면서요? 루디가 굉장히 흡족해하더라고요. 그동안 배를 타보고 싶어서 안달이었거든요."

다이아나는 별안간 단정지었다. "루디는 어린애야. 배에서 얼마나 소리를 질러대던지, 무서울 정도였어."

남자가 물었다. "그래서 오늘 뭘 먹었대요?"

"호박 튀김이요, 그게 다예요."

남자는 말했다. "루디를 침울하게 만들 수 있는 게 과연 있기는 할까요?"

사라는 대답했다. "겨울이요."

다이아나는 말했다. "난 루디가 너무 어린애 같아서 머릿속에 아무 생각이 없을 거라는 얘기까지 들어 봤어."

"그 소리를 한 사람들은 생각이 있는 사람들이고요?"

사라가 대답했다. "머릿속이 썩은 사람들이겠죠."

"그 의견에 대한 루디의 의견은요?"

"아무것도. 그냥 만족해하고, 그게 다예요."

"그럼 루디에게 질문하기 위해 멀리서 오는 사람들은요? 그 사람들은 어떤 결론을 얻어가죠?"

사라는 말했다. "아무것도요. 루디는 보통 이렇게 얘기해요. 아시다시피, 저는 세상 모든 것에 대해 아무 생각이 없는 사람입니다."

남자는 말했다. "아! 그 중요한 사실을 알게 되다니 이렇게 기뺄 수가."

다이아나는 채근했다. "그래서 그 봉골레 파스타 사건에 대한 남자들의 생각은 어떻죠?"

남자는 대답했다. "문학은 봉골레 파스타로도 가능하다는 생각?"

다이아나는 받아쳤다. "심오한 말씀이네요. 그거 말고는요?"

사라가 끼어들었다. "다이아나가 그쪽 생각을 꼭 알고 싶은가 봐요."

다이아나는 말했다. "네, 굉장히요."

남자는 대답했다. "저도 만족하실 만한 대답을 내놓고 싶지만… 정말이지 별다른 의견이 없네요."

다이아나는 말했다. "저도 실은 그럴 줄 알았어요."

그들은 다시 한 번 너털웃음을 터뜨렸다. 앞에선 마호가니로 제작된 배가 살랑거렸다. 자크와 루디가 두런거리며 물에서 나오고 있었다. 몸을 일으켰던 다이아나는 도로 누웠다. 남자는 담배를 피웠다. 이제는 태양이 산 너머로 홀연히 사라졌다. 이 위도에서는 석양이 금세 졌다. 하늘은 밤처럼 푸르렀으나 아직 희미한 빛이 남아 있었다.

다이아나는 말했다. "멋진 휴가야."

사라가 받아쳤다. "응, 하지만 가장 멋진 건 우리가 늘 휴가를 다시 누릴 수 있다는 거야. 너는 내년에도 또 휴가 여행을 떠나게 될 거야. 나도 마찬가지고."

다이아나는 말했다. "응, 그런데 난 여전히 남자 없이 떠나겠지. 어쩌면 남자들은 다들 그렇게 구역질나게 일편단심인지."

남자가 일어나 보트를 해변 가까이 밀착시켰다. 두 여자는 남자의 하는 양을 바라보았다.

사라는 말했다. "문제는 네가 너무 까다롭다는 거야."

다이아나는 물었다. "어떻게 생각해?" 그녀는 시선으로 남자를 가리켰다. "똑똑해 보여?"

"네가 신봉하는 그 위대한 철학자들조차 가끔은 우리의 정신을 세상의 아둔함으로 단련할 필요가 있다는 데 동의할걸."

다이아나는 재차 물었다. "난 진지하게 묻는 거야, 장난치지 말고 얘기해 봐. 어떤 것 같아?"

"그걸 알기 위해 왜 굳이 내 의견까지 필요한지 모르겠네."

"말해 봐, 어쨌든."

"난 그런 건 절대 혼자 판단 못 해. 자크가 늘 나 대신 생각해 줬거든."

"확실한 건, 이제껏 나는 생각이 확고한 남자들하고만 자 왔고, 그게 별반 성공적이지 못했다는 거야. 사랑의 영향력과 의미를 모르는 남자들이었거든."

"사랑의 영향력과 의미가 뭔데?"

"사실 문제는 그건데, 난들 알겠냐고?" 다이아나는 웃으며 말하더니 덧붙였다. "결국 문학도 그저 특별할 것 없는 숙명인 거야. 절대 벗어날 수 없는 그런 거."

"그 숙명은 참 편리하기도 하구나."

"그래도 얘기는 할 수 있잖아."

남자는 배를 살피며 여전히 멀리 있었다.

다이아나는 대화를 이었다.

"어쨌든 지성이 내겐 피부처럼 한 몸이 된 게 사실이야."

사라는 만면에 미소를 띤 채 한동안 말이 없었다. 마침내 다이아나가 물었다.

"너도 우리랑 배를 타고 가지 그래?"

사라는 대답했다. "나야 그럼 더 바랄 게 없지. 너는 그 보트를 좀 생각해 봐. 보트가 멋지다는 생각을 되뇌어 보라고."

"일주일 동안 되뇌어 봐도 소용없었어. 너도 잘 알 거야, 그래 봤자 아무 소용 없다는 거."

"두말할 필요 없이, 문제는 너네."

남자와 함께 자크와 루디도 돌아왔다. 루디는 산 위의 한 지점을 가리키며 외쳤다.

"불이야!"

그는 다이아나와 사라를 바라보며 덧붙였다.

"자, 너희를 위한 불이야. 즐기라고."

다이아나와 사라는 몸을 일으켰다. 저 멀리 10킬로미터 앞에서 산의 한 지점이 석양의 푸른 하늘을 배경으로 붉게 타오르고 있었다. 검은 연기가 미풍 때문에 이리저리 하늘거리며 솟아올랐다.

진원지는 멀었지만 바람은 늘 산에서 불어오는 바, 불길이 바다 쪽, 다시 말해 마을 쪽으로 번질 듯했다.

"불이야." 다이아나는 피식 웃으며 루디의 말을 따라 하더니, 사라에게 한쪽 눈을 찡긋해 보였다.

사라는 말했다. "그 좁아터진 길에, 바로 코앞의 산도 모자라 이젠 불까지. 그야말로 금상첨화네."

지나가 다가왔다. 남자는 다이아나 곁에 앉아 다른 이들처럼 산을 바라보았다. 지나는 말했다.

"금세 번지진 않아, 거리가 멀잖아, 걱정하지 않아도 돼."

다이아나는 반박했다. "금세 번질걸? 자세히 보면 벌써 이쪽으로 성큼 가까워진 게 보이잖아."

지나는 말했다. "네가 뭘 알아? 불길이 여기까지 닿으려면 보름은 걸려. 그리고 그 안에 비가 내릴 거야. 확실해."

루디가 끼어들었다. "당신은 저 둘이 지금 불을 내심 반기는 걸 모르겠어? 불길이 오늘밤에 여기까지 번져서 우리 모두 피신하기를 바라는 거야. 어떻게 그걸 몰라? 대체 당신이 아는 건 뭐야?"

지나는 산에서 눈을 떼지 않은 채 말했다. "어쨌거나 노인네들을 저대로 내버려둘 순 없어. 무슨 수를 내야 한다고. 할머니가 서명을 하든, 그냥 두 분이 도망을 치든. 뭔가 해야 돼."

다이아나도 동의했다. "그래야지."

남자는 말했다. "불길이 노인네들 코앞까지 번지면 싫어도 떠날 수밖에 없을 겁니다. 여러분이 할 수 있는 일이 특별히 없을 거예요."

지나는 반박했다. "아니요, 제 생각에 할머니, 그 노인네는 그 자리에서 타 죽을 수도 있어요."

루디가 나섰다. "천만에. 설령 그렇다 해도 당신이 그 걱정까지 하고 나설 정도로 노인네들을 도맡을 수도 없는 노릇이고."

지나는 어깨를 으쓱거렸다. 루디는 안도했다.

사라는 말했다. "오늘밤에 무도회가 다시 열린대."

아이가 사라에게 다가왔다. 그녀가 아이한테 옷을 입히려는데, 지나가 아이를 낚아채더니 누구도 못 말릴 고집불통 표정으로 다짜고짜 자기가 대신 입혔다. 지나는 옷을 입히며 아이의 이곳저곳에 게걸스럽게 입을 맞췄다.

남자가 물었다. "노인네가 왜 그렇게 막무가내로 버티는지 이유를 한 번도 안 밝히던가요?"

루디는 대답했다. "전혀요. 바위처럼 버티고 있고, 이젠 아예 바위 그 자체예요. 바위를 되살릴 순 없죠."

자크가 말했다. "막무가내라는 건 적합한 단어가 아닌 것 같고… 뭐라고 할까?" 그는 다소 거슬린다는 듯 남자를 돌아보았다. "할머니의 상태는 딱히 설명할 수 없는 거라는 생각을 머릿속에 두고 있는 게 낫겠어요."

모두 침묵했다. 지나는 홀로, 꼿꼿이 아이의 옷을 입혔다.

"그런데 나는 그 식료품상이 왜 그리 마음에 쏙 드는 걸까." 루디가 불쑥 말했다.

모두가 바다를 바라보았다. 바다는 대단히 아름다웠다. 하늘이 불길로 인해 불그스름해졌다. 오직 남자만이 자크를 바라보았고, 나머지 사람들은 바다를 바라보았다. 루디가 자크에게 재차 물었다.

"네 생각엔 왜 그런 거 같아? 왜 그 식료품상에게 그토록 호감이 가는 걸까?"

자크는 대답했다. "잘은 모르지만, 어쩌면 그가 갖가지 엄청난 경험을 했으면서도 어린애 같은 면을 잃지 않아서가 아닐까."

"그 경험이란 건 어디서 비롯된 건데? 그 경험이란 것도 실은 경험이 전혀 없다는 데서 비롯된 것은 아닐까?"

"식료품상 얘기로 자꾸 사람 물고 늘어질래?"

"어쨌든 인생의 경험 중에 다른 경험보다 더 중대한 경험이 있다고 생각할 수 있는데, 그건 사실이 아니야."

사라가 끼어들었다. "어쨌든 정치적 경험이란 게 존재하잖아. 누군가 정치적 경험이 부족하면 그건 즉각 눈에 보여. 안 그래, 루디?"

이제는 남자도 바다를 바라보기 시작했다.

루디는 다소 난처한 목소리로 대답했다. "정치적 경험은 그렇지, 하지만 그와 비슷한 다른 경험들도 있어, 가령 노동의 경험 같은 거. 노동도 어쩌면 정치적 경험일 수 있지. 종국엔 식료품상의 경험일 수도 있고."

다이아나가 말했다. "가난은 달라. 그건 정치적 경험이 아니라고."

루디는 말했다. "그래, 가난은 다르지. 정치적 경험이란 말 대신에 인간적 경험이란 말을 쓸 수도 있겠지만, 난 그런 용어가 썩 내키지는 않아. 그리고 사랑 또한 경험이라고 생각해. 확신할 순 없지만. 당장 저 식료품상만 봐도 그래, 그는 평생토록 사랑이란 걸 해 보지 못했어."

다이아나가 말했다. "그러니까 결국 어느 경험이 인간에게 부족할 때 가장 치명적인 것이 되는지 우리는 모른다는 거네."

자크는 말했다. "우리와 아무 상관 없는 식료품상이 우리를 이토록이나 혼란에 빠뜨리다니."

남자는 말했다. "여러분에게 제가 아무 도움도 되지 못하는 것이 유감이군요." 그는 미소 지었다. "할머니에 대해 제가 한 말을 취소하는 바입니다."

루디가 물었다. "왜 그런 말을 해요?"

지나는 말했다. "서로 이해하는 사람들이 있는 반면, 그렇지 못한 사람들은 절대, 심지어 10년이 지나도 서로 이해 못해. 그래서 저분이 그런 얘기를 한 거야. 예를 들어 산에서는 서로 간의 격차가 없어서 서로 바로 이해했지."

사라는 남자에게 말했다. "그쪽이 할머니에 대해 너무 쉽게 얘기한 거예요. 막무가내란 단어를 사용했으니까요. 우린 그걸 용서할 수 없을 거예요."

다이아나가 거들었다. "우린 언어 전문가들이거든요. 당신을 용서하지 않을 거예요."

사라가 이어받았다. "우리들이 공통적으로 엄격한 분야가 있는데 그게 언어예요."

다이아나가 말했다. "그리고 그 공통점이 우리가 서로 간에 느끼는 차이를 중요하지 않은 것으로 만들어 주죠."

사라는 계속했다. "또한 보시다시피 우리를 이토록 친밀하게 어울리게 만들어 주고요."

다이아나가 이어받았다. "잘못된 언어 사용은 범죄예요."

루디가 끼어들었다. "고약한 여자들이에요, 저 두 여자 말 듣지 말아요."

지나도 나섰다. "기분 나쁘게 듣지 마세요, 말을 만들어 내느라고 저러는 거니까."

자크도 거들었다. "우린 말하기를 즐기거든요."

루디는 보충했다. "모쪼록 오해 없으시길, 혹여 우리가 악의가 있다고 생각하진 마세요. 아! 그건 원치 않아요."

사라가 말했다. "난 저분이 느낀 그대로 생각했으면 좋겠어."

다이아나가 말했다. "그건 불가능해, 우리가 그러도록 내버려두지 않을 테니까."

자크가 말했다. "이 모든 말들이 다 우리가 선생한테 호감을 갖고 있기 때문에 나온 걸 거예요."

남자는 말했다. "그 믿음의 표시에 감사드립니다."

루디가 말했다. "그거예요, 이 모든 걸 믿음의 표시로 받아들이면 됩니다."

"당연하죠." 남자는 말하고 나서 담배를 집어 들고 불을 붙였다. 그는 다소 놀란 눈치였으나 전혀 화가 난 것 같지는 않았다. 그는 말했다. "당신들은 정말 친한 친구인가 봅니다. 당신들 사이에 끼어 있으면 어쩔 수 없이 외톨이가 된 기분이겠어요."

루디는 대답했다. "그런 인상을 받을 수도 있겠군요. 하지만 그 모든 걸 신경쓰실 필요 없어요. 그것 때문에 우리와 어울리지 않으려 하시면 안 되죠. 반대로 하세요. 우리가 어울리는 데 거부감이 들 정도로 그렇게 똘똘 뭉쳐 있는 인상을 풍긴다면, 꼭 말씀해 주세요. 우리의 우정이 뭔가 거부감을 느끼게 한다면 우리 또한, 네, 스스로에게 거부감을 느끼게 될 테니까요."

자크는 말했다. "우리도 다른 사람들 못지않게 바보죠. 다만 우리는 똑같은 바보짓을 하도록 타고났다고 할까요. 그래서 이렇게 잘 어울릴 수 있는 겁니다."

사라가 말했다. "저런 말에 말려들지 말아요."

남자는 사라를 바라보았다. 오직 그녀만을 슬쩍. 하지만 이 모든 대화와는 아무 관련 없는 결단이 서린 눈빛으로. 아무도 그 눈빛을 알아차리지 못했다.

그는 사라에게 물었다.

"그럼 뭘 존중해야 하죠?"

"그야 나도 모르죠." 사라는 말하며 시선을 떨궜다.

다이아나가 말했다. "그건 남자들한테 물어봐야 할 것 같은데요."

"우리가 저 친구를 불행하게 만든 게 틀림없어." 루디가 낮게 중얼거렸다. 그는 몹시 곤혹스러운 표정으로 머리를 긁적거렸다.

자크가 물었다. "뭘 존중해야 하냐고요?"

"모조리, 전부 다. 그리고 아무것도, 세상 아무것도 존중하지 말아야 하고요." 루디가 열에 들떠 말했다.

자크와 사라는 루디를 향해 미소 지었다. 다이아나가 말했다.

"아니, 아무것도, 정말 아무것도. 그야말로 아무것도 존중하지 말아야 해요."

지나가 말했다. "하지만 산속의 할머니를 존중해야 하는 건 확실해. 절대적으로. 안 그래? 할아버지와 식료품상도 마찬가지이고."

자크는 말했다. "동의해. 사실이 그렇고 또 그게 당연한 거지." 그는 남자에게 비꼬듯 말했다. "하지만 선생에게는 이런 의문 따위 아무 의미 없지 않나요?"

"뭐, 특별히 와닿진 않는군요." 남자는 어조 변화 없이 대답하고는, 미소를 거두며 진지하게 덧붙였다. "하지만 막무가내라는 단어를 사용한 건 후회하고 있습니다."

루디가 말했다. "우리의 결례를 용서하세요. 우선 저부터도 산위의 할머니를 그렇게까지 존중해야 하는지 확신이 서질 않거든요. 왜냐하면 할머니를 일단 그렇게 존중하기 시작하면, 존중할게 끝도 없고, 종국엔 존중이 삶의 또 다른 열정들을 가로막는 열정이 돼 버리거든요. 아니, 나는 이 존중에 찬성하지 않아요."

지나가 루디를 가리키며 말했다. "보셨죠? 우리들이 죄다 이렇게 바보인 거."

다이아나가 부연했다. "이제 여기 있는 루디도 식료품상 못지않은 바보라는 게 밝혀졌네요. 하지만 바보가 되려면 루디 같은 바보가 되어야 해요. 루디의 바보짓은 아주 드물게 고급스러워서 똑같은 다른 바보를 찾으려면 아주 멀리까지 가야 하죠."

모두가 웃음을 터뜨렸다. 루디와 남자도 함께 웃었다.

지나는 남자한테 권했다. "언제 한 번 집으로 식사하러 오세요."

아이가 양손에 모래를 잔뜩 묻힌 채 루디에게 다가갔다.

"배고파요."

루디는 대답했다. "그런 건 아주 악독한 네 엄마한테나 가서 얘기하렴, 난 널 위해 해줄 수 있는 게 아무것도 없거든."

사라가 말했다. "가자."

루디가 물었다. "우리랑 배로 갈 사람이 누구누구지?"

자크가 대답했다. "난 아냐."

루디는 말했다. "너희들이 걸어가면 나도 같이 걸어갈게."

"전 곧장 돌아가지 않습니다. 바다를 한 바퀴 돌 거예요." 남자가 말했다.

그들은 놀랐으나, 남자는 평소 말투 그대로였다. 그가 가 버렸다.

다른 휴가객들은 그룹을 지어 강어귀 쪽으로 걸음을 옮겼다. 루디 일행은 선두에서 걸었다. 루디는 사라와 팔짱을 꼈다. 자크는 루디 옆에서 걸었다. 루디는 말했다.

"봤지, 얼마나 용감한 친구인지."

사라는 말했다. "봤어, 그래도 호들갑을 떨 것까지야."

루디가 말했다. "아니, 떨어야 돼, 난 저 친구 기분을 상하게 하고 싶지 않거든." 그는 자크를 쳐다보았지만, 자크는 가타부타 말이 없었다. "혹시 저 친구 배가 너무 호화로워서 마음에 안 들면 사실 그대로 얘기하고 이유를 설명하면 돼. 그럼 저 친구도 이해하고 자기한테 진실을 말해준 걸 달가워할 거야."

마침내 자크가 입을 열었다. "하지만 가끔은 그냥 저기압인 채로 있고 싶을 때도 있는 법이야. 아무것도 설명하지 않고서."

루디는 대답했다. "당연하지, 그런데 난 언젠가부터 기어이 세상을 바꾸어야 한다는 그 생각이 싫어졌어. 너희는 늘 세상을 바꾸고 싶어하잖아, 강제로라도. 물론 변화해야겠지. 하지만 모든 게 순리대로, 자연스럽게 변화하도록 놔두면 안 되는 걸까? 난 저 친구의 배도 저 친구가 자기 배를 애착하는 것도 존중할래. 실은 너희가 도착하기 전에 다이아나가 저 친구의 배를 슬쩍해서 바다로 나가자는 얘기를 했거든. 그런 식으로 저 친구를 골탕 먹이자는 거지. 안 될 말이야. 안 되고말고."

사라는 말했다. "난 처음 듣는 소리야."

자크도 말했다. "하지만 모든 사람들이 세상이 바뀌기를 바라는 걸. 이 세상에 살아 있는 사람 중에 세상이 바뀌지 않기를 바라는 사람은 아무도 없어."

루디는 말했다. "내가 거슬리는 건, 너희들 자신이 세상의 변화에 유용한 사람이라고 생각한다는 거야. 난 그런 생각이 싫어. 아무래도 너희가 못 찾도록 내가 저 친구와 합심해서 배를 감춰 놔야겠어. 백인에게 착취 당한 흑인이 가진 백인에 대한 지식은 백인이 흑인에 대해 갖고 있는 지식보다 월등하거든. 괜스레 배려한답시고 흑인이 백인에 대한 지식을 쌓지 못하게 하면 안 되는 거야."

사라가 물었다. "그래서 그게 흑인의 발전에 어떤 도움이 되는데?"

자크도 물었다. "너는 그걸로 충분한 것 같아? 그래? 흑인이 백인에 대한 지식을 쌓기만 하면? 그럼 흑인이 무척 행복해질 것 같아?"

그들 뒤에서 걷던 다이아나가 그들이 있는 데로 왔다. 그녀는 말했다.

"무슨 얘길 하는지 몰라도 난 루디 편이야."

사라는 설명했다. "모터보트 얘기를 하고 있었어. 루디는 배는 그 남자 거니까 우리가 건드리면 안 된대."

다이아나가 말했다. "그런 얘기라면, 난 루디랑 반대야. 나도 배를 타고 바다에 나갈 필요를 느끼거든." 루디는 키들거리며 다이아나의 머리칼을 잡아당겼다. 다이아나는 계속해서 말했다. "그남자한테 배가 절실한 것만큼이나 나한테도 배가 절실하다고."

아이는 파도가 모래 위에 남기고 간 하얀 거품 자국 위를 달리며 앞서 나가다가, 배 이야기가 들리자 뒤를 돌아보았다. 자크는 다른 생각에 골몰했다. 루디의 마지막 말을 곱씹는 기색이 역력했다. 그는 생각 끝에 말했다.

"어떻게 그런 말을 하고 그런 생각을 지지할 수 있는 건지, 난 도무지 이해가 안 되네."

루디는 외쳤다. "너의 그 잘난 마르크스주의나 흑인 조직화라면 진절머리가 나!"

다이아나는 선언했다. "배에 타기 전에 난 부두 근처 술집에서 캄파리 한잔 해야겠어."

자크는 조용히 말했다. "설사 네가 한 말의 취지를 이해하더라도 흑인은 백인에 대해 왜곡된 지식만을 가질 뿐이야. 백인이 더는 본연의 백인이 아니거든. 흑인에게 가한 억압에 의해 그들 또한 스스로에게서 소외된 거지. 오래 전부터 있어 온 얘기잖아."

사라가 말했다. "맞아. 그러니까 가끔씩 그 배를 슬쩍해 줘야 돼. 배를 뺏길 위험에 처해야만 그 남자도 자기 배를 올바르게 인식할 수 있을 테니까."

루디가 키들거리며 사라의 머리칼도 잡아당겼지만 사라는 몸을 피해 아이와 나란히 걷고 있는 다이아나에게로 갔다. 그녀는 말했다.

"호텔에 갈 때까지 둘이 저 타령일 것 같아."

아이는 물었다. "그 아저씨 배 훔칠 거야?"

"망할, 글렀네." 다이아나가 탄식했다. 사라는 아이한테 말했다. "아니, 네가 잘못 안 거야. 우린 그저 장난으로 배를 가져와서 바다를 한 바퀴 돌자고 얘기한 거야. 가끔은 그냥 그렇게 쓸데없는 소리들을 할 때가 있단다."

아이는 다시 물었다. "그래서 배 빼앗아 올 거야?"

사라는 자크와 루디를 돌아보며 말했다.

"망했어. 녀석이 다 알아 버렸어." 그녀는 아이를 가리켰다.

루디는 요란한 웃음을 터트렸다.

"이렇게 멋질 데가!"

사라는 아이에게 말했다. "아직 확실히 몰라."

"그러자! 당장 빼어 오자." 아이는 조바심에 발을 구르며 말했다.

다이아나는 말했다. "그러자! 뺏어 오자." 그리고 사라에게 말했다. "당장 캄파리를 마셔야겠어."

그들은 발걸음을 재촉하여 캄파리를 마신 뒤 해가 완전히 떨어져서야 강을 건넜다. 지나는 호텔에 묵는 휴가객 그룹 중에 가장 인원이 많은 그룹과 함께 먼저 강을 건넜다. 그녀는 저녁 식사 전에 노인들을 만나러 가고 싶어했다. 나머지 친구들은 함께 가지 않겠다고 했다. 루디는 잠시 망설였지만, 결국 산에 가는 대신 캄파리를 더 마시기로 했다. 그들은 꽤 여러 잔을 마셨다. 가정부는 해변에서 돌아온 아이를 넘겨받은 뒤, 호텔 앞을 서성였다. 남자는 그들보다 30분 늦게 도착해서, 테이블에 앉아 신문을 읽기 시작했다. 지나가 산에서 돌아왔을 땐 이미 손님들이 식사 중이었다. 가정부는 애써 인내하며 여전히 호텔 앞을 서성였다. 자크와 루디는 여전히 흑인과 백인의 상호 인식에 대해 토론 중이었고, 거기에 다이아나와 사라가 이따금 건성으로 의견을 보태며 두 남자를 부추겼다. 앞에는 여전히 캄파리가 놓여 있었다.

지나가 물었다. "애는 어디 있어? 밥도 안 먹였잖아?"

사라는 대꾸했다. "캄파리를 마시고 있노라면 그런 일들이 덜 급하게 느껴져. 그러고 보니 정말 해변에서부터 배고프다고 하긴 했는데."

자크는 말했다. "녀석이 너희 집에 가서 저녁을 먹겠대."

"우리가 너무 치대는 거 아냐?" 사라는 웃으며 말하더니 가정부를 불렀다. 가정부가 캐노피의 환한 불빛 속에 있는 그들에게 바로 달려와 질문을 듣기도 전에 냉큼 말했다.

"여덟 시 반이에요. 어쩌실 건지 결정하셔야죠."

"아이는 어딨죠?"

"아이 걱정은 하지 마세요. 어쩔 셈이세요?"

자크는 지시했다. "아이를 불러요, 그러고 나서 얘기해요."

"강가에 발 담그고 놀고 있어요, 말릴 방도가 없었어요."

그녀는 강가로 가서 아이를 불렀다. 아이는 샌들을 신은 채로 강물 위를 철벅거렸고, 무릎까지 진흙투성이였다. 사라는 말했다. "그럼 아이가 강에 빠져 죽고 싶어해도 말릴 방도가 없으니 그냥 내버려둘 건가요?"

지나가 끼어들었다. "당신이 우리집 가정부였으면 벌써 뺨을 맞았을 거예요."

가정부는 대꾸했다. "그렇게 말씀하시면 안 되죠. 지나 아주머니는 어린애들이 어떤지 모르시잖아요."

"5년 전부터 알고 있어요."

자크는 나지막하게 중얼거렸다. "경우가 다른 건 사실이야."

사라는 한탄했다. "이제껏 물에 있었으니 분명 감기에 걸렸을 거야. 그런데도 나는 무사태평하게 캄파리나 들이켜고 있었으니. 정말 지긋지긋하네."

"아주머니만 그런 게 아니라고요." 가정부는 말하고는 훌쩍거렸다. 사라는 말했다.

"이젠 정말 지쳤어요."

가정부는 동조하는 표정으로 말했다.

"제가 녀석을 집에 데리고 가고, 신발도 갈아 신길게요."

자크는 말했다. "아가씨가 심했어요. 내가 이건 화가 나서 하는 말이 아니요. 분명히 얘기하는데, 심했어요."

루디도 거들었다. "이런 식이라면 자기 일에 불성실한 거고, 좋은 태도가 아니죠."

매일 저녁 이 무렵, 캐노피 안에선 같은 장면이 반복되었다. 호텔 투숙객들 모두가 가정부를 탓했다. 마을 전체의 의견도 대체로 그러했고, 세관원들만 예외였다. 가정부는 흐느끼기 시작했다. 호텔의 모든 사람들이 흐느끼는 그녀를 혐오 어린 눈길로 바라보았다. 루디는 말했다.

"불성실하다는 말은 취소할게요. 하지만 아가씨가 녀석을 좋아하지 않는 건 확실해요. 마음이야 강요할 순 없겠지만 적어도 아이를 돌보는 것 같은, 아가씨가 할 일은 해야 할 것 아니요."

다이아나는 말했다. "왜 취소를 해? 애한테 불성실한 게 맞지. 나는 바른대로 말할래."

"울 필요 없어요." 자크는 말한 뒤 일어나 가정부를 품에 안고 다독였다. "아가씨는 우리한테 지쳤고, 우린 아가씨한테 지쳤어요. 우리도 아가씨가 우리한테 지친 만큼이나 아가씨한테 지쳤다고.

하지만 여기선 헤어질 수도 없으니 파리로 돌아가는 길로 정리합시다. 알겠죠?"

가정부는 흐느끼며 눈물을 쏟더니 대답이 없었다. 자크는 재차 물었다.

"내 말 이해하죠? 아니면 다시 얘기해요?"

가정부는 대답했다. "이해했어요, 하지만…."

그녀는 또다시 눈물을 쏟았다. 자크는 말했다.

"캄파리를 한 잔 먹여야겠어."

루디는 말했다. "똥물을 먹여야지, 너희는 호구야."

사라는 가정부에게 물었다. "대체 왜 그래요?"

가정부는 대답했다. "대체 왜 그러느냐고요? 파리에 가더라도 똑같은 처지의 반복일 테니까요, 난 여전히 가정부일 테니까요."

사라는 말했다. "할 말이 없네."

자크는 말했다. "알아요. 대체 어느 누가 가정부를 하고 싶겠어요?"

그는 일어나 가정부에게 캄파리를 가져다주었다.

가정부는 말했다. "감사해요, 오늘 오후에 벌써 꽤 많이 마셨어요."

사라는 말했다. "시간을 충분히 줄 테니 아이 없는 일자리를 찾아봐요, 필요한 만큼 시간을 가져요. 울지 말고."

지나는 아이의 신발을 벗기고 자기의 손수건으로 아이의 발을 훔쳤다. 그녀는 가정부와 사라를 탓하며 들릴락 말락 구시렁거렸다.

다이아나는 말했다. "오늘 오후에 많이 마셨다고요? 잘하는 짓이네."

가정부는 대답했다. "미의 여왕 선발대회가 있었어요. 그러니 어쩌겠어요."

자크는 물었다. "그래서 미의 여왕으로는 누가 뽑혔죠?"

"옆집 어부 딸이요. 저하고 그 애하고 막상막하였는데, 결국 그 애가 미의 여왕이 되고, 저는 미스 스마일로 뽑혔어요."

모두 웃음을 터뜨렸다.

루디는 말했다. "아! 멋져!"

가정부도 속없이 따라 웃었다. 그녀는 말했다.

"웃기면 웃으세요. 저도 남들만큼 웃을 줄 알거든요."

가정부는 기운을 차렸고, 평소의 어투로 물었다.

"애를 어떻게 할까요?"

사라는 대답했다. "데리고 가요. 루디 씨 집에서 저녁을 먹이고 나서 집에 데리고 가서 재우세요."

가정부는 말했다.

"오늘밤에 저 외출해요."

자크는 사라를 바라보며 어깨를 으쓱했다. 그는 사라에게서 시선을 떼지 않은 채 말했다.

"매일 저녁 외출이군. 오늘밤이라고 새삼스레 허락을 하고 말고 할 게 없잖소."

사라는 말했다. "난 아무 약속도 안 했어."

가정부는 떳떳한 표정으로 그들 부부를 번갈아 쳐다보았다. 루디는 화가 치미는 얼굴이었다.

사라는 말했다. "정말 그래요, 아가씨는 매일 외출하는군요."

가정부는 완강하게 대답했다. "저한테 약속하신 거나 마찬가지잖아요."

"둘이서 해결해." 자크는 말하더니 먹기 시작했다.

사라는 말했다. "아이를 루디 씨 집에 데려가지 말아요. 그럼 너무 늦어질 것 같아요, 시간도 늦었는데. 그냥 집에서 저녁을 해 먹이고 재우세요. 문제는 아가씨가 애를 때리고 부실하게 먹일 것 같다는 거지만."

"안 때릴게요, 염려 마세요. 그리고 저녁은 저랑 똑같은 걸로 먹일 거예요. 저녁 식사만 하시고 집으로 오실 건가요?"

"아가씨가 내가 약속을 했다고 주장하니 올게요. 하지만 마지못해 오는 거예요."

"저도 달리 어쩔 수가 없어요."

루디는 말했다. "녀석이 집에 와서 저녁을 먹었으면 했는데."

아이는 말했다. "나 집에 안 가. 루디 아저씨 집에 갈래."

가정부는 한탄했다. "또 시작이다. 정말 지겨워."

사라는 말했다. "내가 같이 갈게요." 그녀는 아이를 돌아보았다. "엄마가 부엌까지 같이 갈게, 가서 저녁 먹자. 엄마가 안아서 데려갈게."

다이아나는 말했다. "나도 같이 갈게."

루디는 말했다. "녀석이 집에 가지 않는다면, 나도 오늘 한번쯤은 호텔에서 먹겠어."

지나는 대답했다. "좋을 대로. 당신도 한번쯤은 맛없게 먹는 것도 나쁘지 않아."

모두가 할 말을 잃었다. 사라와 다이아나와 자크는 눈짓을 주고받았다.

루디는 물었다. "저녁 메뉴가 뭔데?"

지나는 대답했다. "펜넬을 곁들인 농어 구이와 가지, 그게 다야."

"가지는 뭔데?"

"다진 고기로 속을 채우고 치즈를 올려서 구웠어."

모두가 루디를 바라보았다. 특히 자크가. 다이아나는 새로 주문한 캄파리를 삼켰다.

가정부는 물었다. "집에 가실래요?"

루디가 말했다. "어쨌든 난 호텔에 있을래."

지나는 말했다. "난 집에 갈 거야, 이 호텔 음식은 구역질이 나."

자크는 말했다. "그걸 매일 저녁마다 먹는 사람들도 있다고, 바로 우리."

지나는 떠나면서 말했다. "집도 있고 가정부도 있는데, 집에서 음식을 해 먹지 않는다면, 너희들 잘못이지."

사라는 말했다.

"집에서 우리끼리 맛있는 음식을 먹느니 친구들과 함께 맛없는 음식을 먹는 게 난 더 좋아."

"지나!" 루디가 외쳤다.

지나는 대답하지 않았다. 루디는 달려가 그녀를 따라잡았고 저녁을 먹으러 호텔로 돌아오지 않았다.

다이아나와 사라도 자리를 떴다. 그들은 둘이 번갈아 아이를 안고 집까지 갔다가, 강가를 따라 한가로이 걸어 호텔로 돌아왔다. 이제는 다른 손님들도 식사하고 있었다. 남자 또한 식사 중이었다. 그는 눈부시게 흰 셔츠 차림이었다. 다이아나는 캐노피 안에 들어가기 전에 사라의 팔을 붙들며 화재가 난 곳을 가리켰다.

"저것 봐, 불길이 계속 번지고 있어."

"아니야, 이번 휴가가 갑갑하다 보니 그렇게 느껴지는 거야."

"그럴지도 모르지. 그런데 우리들은 대체 뭐가 부족한 걸까? 이렇게 모두 모여 서로 어울리고 사랑하는데 말이야. 대체 뭐가 더 필요한 거지?"

"아마도 낯선 사람 아닐까? 이곳에서 우리는 모르는 사람들과 신기할 정도로 단절돼 있잖아."

"그렇긴 해, 어쩌면 우정만큼 낯선 사람들과 우리를 단절시키는 것도 없을 거야."

"그럴지도."

"다행히도 저 남자가 배를 타고 우리 앞에 나타났군." 다이아나는 웃음을 터뜨렸다. "우리에게 낯선 사람이 되어 주려고. 딱하게도 자기 혼자 우리 모두의 낯선 사람 역할을 도맡으려고 말이야."

"다행스럽군."

"하지만 너와 내가 느끼는 건 또 다를 거야."

"넌 한 남자랑 사흘 이상을 만난 적이 없잖아. 그런 건 배워서 알 수 있는 게 아니야."

"뭐가?"

"낯선 사람의 가치."

"그래도 이해는 할 수 있어."

"그렇지 않을걸, 한 남자랑 사흘 이상을 지내 본 적이 없다면…"

"그게 너희 부부 두 쌍이 다 나한테 그러고 싶은 의욕을 북돋는 본보기여야 말이지."

"난 오히려 우리 부부는 제법 고무적인 본보기라고 생각했는데."

"아니, 어떤 부부도 그렇지 않아, 심지어 가장 이상적인 부부조차 사랑을 장려하지 않는다고. 아니야. 너도 부부의 틀 안에 속한 사람이기 때문에 이해하지 못할 거야."

"그러네."

다이아나는 미소 지으며 선언했다. "체험된 모든 사랑은 변질된 사랑이다. 잘 알려진 얘기잖아."

두 사람은 잠시 그 자리에서 침묵했다.

"왠지 모르게 네가 자크랑 또 싸운 것 같다는 생각이 드네."

다이아나가 묻자 사라는 대답했다.

"그런 거 아니야."

"그럼 뭐야?"

"말하자면 복잡해."

"살다 보면 어느 부부나 힘든 순간이 있기 마련이라고 다들 얘기하는 그런 거?"

"그럴 거야, 그거야."

다이아나는 초연함과 서글픔이 깃든 희미한 몸짓을 하더니 말했다.

"피곤하게들 사네."

"난 그저 더는 이 장소 때문에 우울하지 않다는 말을 하려던 거야. 그건 자크도 마찬가지고. 우리 부부가 우울하다는 얘기를 하려던 게 아니라."

"그렇다면 다행이네." 다이아나는 말하고 나서 사라를 바짝 들여다보더니 되풀이하여 말했다.

"다행이야. 실은 나도 너에게 하려던 말이 있어. 왜 너는 매일 저녁 가정부 대신 네가 애를 돌보는 상황을 만드는 거야?"

"내가 그런 상황을 만드는 게 아냐. 가정부가 매일 저녁 외출하는 거지."

"거짓말. 실은 가정부를 핑계로 우리 모두랑 매일 저녁 모여 노는 걸 피하고 싶은 거잖아. 내가 너희들이 지겨운 것만큼이나 너도 우리가 지겨운 거야."

"너희가 지겨워지는 일은 절대로 없을 거야. 절대로."

"그런 건 순간의 문제야. 아주 짧은 순간일지언정 그런 마음이 들 때가 있는 거라고."

그들은 호텔 캐노피 안의 다른 친구들에게 다가갔다.

이 호텔은 근방에서, 적어도 이쪽 강변에선 유일했기에 그들은 장소 선택의 여지가 없었다. 강 건너편에 호텔이 두 개 더 있었지만 강 너머까지 가서 식사할 생각은 아무도 하지 않았다. 그랬다. 그들은 무더운 강 이편을 고수하며 매일 불가피하게 같은 음식만 먹었다. 호텔 주인이 경쟁의 위협을 전혀 느끼지 못한 데다 강 건너편의 메뉴도 이 호텔과 별반 다르지 않은, 말하자면 생선, 파스타, 스프였기 때문이다. 호텔 주인은 식자재 공급이 원활하지 않다고 주장했고, 그것이 이 한결같은 메뉴의 원인이었다. 습관은 들이기 나름이어서 대부분의 투숙객들은 그렇게 길들었다. 그렇다고 식사 시간이 즐겁지 않았던 것은 아니다. 그들은 이 테이블에서 저 테이블로 말을 건네고 질문을 던졌으며 그렇게 대화는 대략 캐노피 안의 테이블 전체로 퍼졌다. 어떤 얘기들이었을까, 고역스러운 이 지역의 형세나 모두에게 형편없는 이 휴가의 나날, 살인적인 더위가 아니면 무엇이겠는가? 어떤 이들은 휴가란 원래 그런 거라고 주장했다. 하지만 다른 이들에게는, 아니었다. 많은 이들이 멋진 휴가, 완벽하게 성공적인 휴가를 보냈던 기억을 떠올렸다. 하지만 휴가를 성공적으로 보내기란 드물다는 점, 드물고 어려우며 많은 행운이 따라야 한다는 점에는 모두가 동의했다.

그래도 대체로 이번 휴가만큼 엉망이었던 휴가를 기억해 내는 이는 아무도 없었다. 그 원인에 대해선 의견이 갈렸다.

어떤 이들은 그들이 인위적으로 엮인 −깊게 엮일 이유가 없었으므로− 공동체 안에서 서로 지나치게 밀착해 있기 때문에 불편하다고 주장했다. 또 다른 이들은 인위적인 공동체든 아니든 간에, 장소가 너무 협소하고 유흥거리나 오락거리가 전혀 없어서 그들이 소일하고 수영하고 산책하고 수다떨기 위해, 서로에게 끝없이 의존할 수밖에 없고 그래서 매일 서로를 한없이 기다려야 하기 때문이라고 주장했다. 그들 중 한 여인은 가령 정오에 수영이라도 하러 가려면 이 사람 저 사람에게 함께 수영하러 가겠느냐고 묻기 위해 오전 9시부터 준비해야 한다고 설명했다. 왜냐하면 그 이 사람 저 사람은 또 그들대로 전날 함께 수영하러 가기로 약속한 이런저런 사람들이 있었고, 그 이런저런 사람들은 또 그들대로 함께 수영하러 가기로 약속이 된 또 다른 사람들과 또다른 사람들이 있었기 때문이다. 그것은 끝없는 상호 기다림의 악순환이었다.

다른 한 여인은 그런 번잡한 상황을 해결할 수 있는 방법이 있다고 주장했는데, 바로 이미 사흘 전부터 오직 남편과 두 어린 아들하고만 수영하러 가기로 작정한 자신처럼, 이제 더는 서로가 서로를 기다리지 않기로 하면 그만이라는 것이었다. 하지만 호텔의 또 다른 기혼 투숙객들은 그녀에게 동의하지 않았다. 휴가여행이란 그런 식으로 자기 남편과 자식들하고만 수영하기 위해 떠나는 것이 아니었다. 그 반대였다. 휴가여행은 마침내 자기 남편이나 자기 아내나 자기 자식들이 아닌 다른 이들과 수영하기 위해 떠나는 것이었다. 새로운 관계를 손쉽게 맺고, 그 과정을 단순화하고, 이른바 사교를 위한 관습적이고 우회적인 절차를 건너뛰는 것, 바로 그것이야말로 휴가여행의 존재 이유라 할 수 있었다. 사람들은 대체로 루디 일행이 이곳에서 다른 그룹보다 더 잘 지낸다고 생각했다. 아마 루디가 이곳에 익숙해서 피해야 할 함정들을 충분히 파악하고 있기 때문이리라.

한편 다른 누군가는 길이, 이곳에선 길이 아쉽다고 지적했다. 차가 겨우 다닐 수 있는 그 좁아터진 길이 폐소공포증을 유발한다는 것이었다. 당장 여기 말고 다른 호텔에서 캄파리 한 잔만 마시려 해도 그 좁아터진 길을 7킬로미터 내지 10킬로미터나 달려야 하는데, 그런 생활을 대체 어떻게 견딘단 말인가?

무더위에 대해서는 루디 일행과 모두들 의견이 같았다. 무더위는 많은 이들에게 이 망친 휴가의 원흉이었다. 그때 루디가 도착했고 이야기에 끼어들었다. 그는 당연히 무더위에 대해서도, 휴가에 대해서도 의견이 달랐다. 그는 자신은 이 휴가와 이 장소와 이 무더위를 사랑하노라고 말했다. 몇 달 후에 추워지면 이 장소와 이 무더위가 추억이 될 것이고, 숨쉬기도 힘든 이 시들시들한 오후의 기억이 차가운 안개와 바람을 보다 잘 견딜 수 있게 해주리라는 것이었다.

루디가 와서 무더위에 대한 견해를 밝히고 나자, 남자는 자신도 루디의 의견에 대체로 동의한다고 말했다. 사람들이 말하듯 그리 못 견딜 만한 더위가 아니라는 것이었다. 또한 그로서는 이

번 휴가가 오히려 즐겁고, 무엇보다 이제껏 누렸던 대개의 휴가와 종류가 다르다는 점에서 즐겁다고 설명했다. 사람들은 대개의 휴가는 어땠으며 어떤 차이가 있는지 물었고, 그는 무엇보다 이곳 사람들이 다르다고 대답했다. 이곳 사람들이 어떻게 다르죠? 자크는 물었다. 남자는 이곳 사람들은 물론 제각각 다르지만 뭔가 공통점이, 그가 아직 어디서도 본 적 없고 -그는 쿡 웃었다- 이 자리에선 굳이 규정하고 싶지 않은 어떤 공통점이 있다고 대답했다. 자크도 남자를 따라 함께 웃었고, 루디는 그 모습에 흐뭇한 듯했다. 우리가 친구 사이라서요? 자크는 물었다. 남자는 단지 그 때문인지는 자기도 잘 모르겠다고 대답했다. 자크는 더 이상 캐묻지 않았다.

죽은 청년의 부모는 식사 중에 거의 화제에 오르지 않았다. 이 함구에는 여러 이유가 있을 수 있었다. 호텔과 이 지역 전체가 지나와 루디, 자크, 사라, 다이아나가 매일 산에 가서 청년의 부모를 만나는 데다 지나가 그들에게 식량을 보급하는 일을 도맡고 있고, 그 바람에 나머지 사람들은 청년 부모에 대해 일체의 주도권을 박탈 당한 셈이 되었다는 것을 알고 있었다. 지나를 필두로 루디 일행이 처음부터 청년의 부모를 책임졌기에 다른 이들의 노력은 무엇이 됐건 불필요한 것이 되었다. 모두들 매일 산에 가는 그들의 처사를 마뜩지 않아 하는 듯했다. 일부는 도가 지나치다고 생각했고, 어떤 이들은 불행한 사건에 대한 그들 무리의 호기심이 건전하지 않다고 여겼으며, 또 다른 이들은 그들의 솔선수범을 시기했기 때문이다. 하지만 이 함구에는 일주일 전에 발생한 그 사건이 이미 시의성을 잃었다는 점도 작용했다. 산에서 발생한 화재가 새로운 화젯거리로 떠올랐다.

오직 남자만이 모두를 새로 알게 된 데다 비극이 일어난 직후에 이곳에 도착했으니 주저 없이 그 사건을 화제에 올릴 수 있는 사람이었다. 하지만 그는 다른 이들과 다를 바 없이 그 사건을 언급하지 않았다. 무엇보다 해변의 대화 이후로, 그것이 쉽게 입에 올릴 화제가 아니라고 어림짐작한 듯했다.

모두들 이미 오래 전에 식사를 끝내고 나서 한담을 나누며 공놀이하러 가기를 기다리고 있었을 때, 강 건너편 무도회의 전축 소리가 고요한 밤을 뒤흔들었다. 일주일 전, 지뢰 제거반 청년이 폭사한 이후로 처음 듣는 소리였다. 뱃사공의 말이 맞았다. 세관장은 노파가 자의적으로 사망신고서에 서명하지 않는 통에 질질 끌이유가 없는데도 길어지는 상황을 더 이상 존중할 필요가 없다고 판단했고, 무도회를 재개하라고 명령했다. 모두들 시선을 떨구었고, 거북한 침묵이 흘렀다. 맨 처음 입을 연 것은 루디였다.

"노인네들한테 나가라는 말이나 진배없구먼, 어쩌면 이게 당연한 거겠지."

지나는 대꾸했다. "아니, 당연하지 않아."

루디는 말했다. "하지만 마냥 그대로 두고 볼 수도 없는 노릇이 었어. 피 끓는 청춘들이 다들 무도회가 열리기만을 이제나저제나 기다리고 있으니…."

지나는 재차 말했다. "아니, 당연하지 않아." 그녀는 덧붙였다. "혹여 사실이 그렇더라도 인정하고 싶지도 않고."

루디는 대답하지 않았다. 분위기가 숙연해졌다. 과거의 재탕처럼, 사건 다음 날처럼 무언가 씁쓸한 기운이 감돌았고, 모두들 그렇게 느꼈다. 음악은 탱고였고, 사랑을 노래하고 있었다. 강바람이 느껴질 듯 말 듯 희미하게 불어오는 밤은 고요하고 뜨거웠으며, 음악은 캐노피 안까지 밀려 들어와 공간을 가득 채웠다. 그 뻔뻔함이 비명처럼 울려 퍼졌다. 지나의 일갈 이후로 이 상황에 대해 어떻게 생각해야 할지 다들 갈피를 못 잡는 기색이 역력했다. 남자도 마찬가지였다. 자크는 지나에게 말했다.

"나는 이런 상황에서도 무도회를 다시 열어야 한다는 쪽이야."

지나는 어깨를 으쓱했다. 모두들 침묵했다. 사라는 물었다.

"우리 모두는 세상 곳곳에서 일어나고 있는 모든 불행에도 불구하고 무도회는 열려야 한다는 쪽이 아닐까?"

자크는 미소 지으며 대답했다. "그래, 대개는 승리를 위해서, 더 많은 무도회들을 위해서지."

지나는 말했다. "나도 당신만큼이나, 이 자리에 있는 모든 사람들만큼이나 춤추는 걸 좋아해."

자크는 대답했다. "그래, 그런데 젊은 애들한테는 우리 또한 성가신 존재들이라고."

지나는 동의했다. "그건 그래."

그녀는 일어나서 분위기를 전환시키려는 듯 달라진 어투로, 일찍 잠자리에 들려면 당장 공을 치러 가야 한다고 말했다. 모두들 일어났다. 자크는 사라한테 다가갔다.

"당신도 가는 거지?"

그녀는 세관원과 데이트하기 위해 자신이 돌아오기만을 기다리고 있을 가정부에게 가 봐야 한다고 말했다. 그러고는 그래도 조금 이따 가겠노라고, 일단은 함께 가자고 덧붙였다. 자크는 가정부 얘기만 나오면 으레 그렇듯 대답도 없이 멀어졌다.

사람들은 삼삼오오 짝을 지어 걸어갔다. 그들이 바다 쪽에 있는 식료품상의 상점을 지나기도 전에, 강 이편에서 열린 또 다른 무도회의 요란한 음악이 울려 퍼졌다. 루디는 사라에게 다가갔다. 그는 한동안 잠자코 그녀와 보폭을 맞춰 걷다가 결국 운을 뗐다. "우리랑 같이 있자. 그 망할 가정부한테 가지 말고."

사라는 대답했다. "아닌 게 아니라 세관원 애인 때문에 매일 나를 집에 붙들어 두니, 나도 이젠 한계에 왔어."

"그러니까 그냥 있으라고, 그 망할 가정부 따위가 뭘 어쩔 수 있겠어, 제까짓 게 뭐라고."

그는 스스로의 말에 놀라 우뚝 멈춰 섰다.

"미안해. 난 가끔 왜 이리 한심하게 말하는지 몰라. 그런 뜻으로 한 말이 아닌데. 그저 네가 가정부한테 너무 휘둘린다는 말이 하고 싶었던 건데. 오늘밤엔 너도 가정부 사정 따위 신경쓰지 말고 공을 치라고."

"노력해 볼게."

루디는 사라와 팔짱을 꼈고, 두 사람은 페탕크 놀이터 쪽으로 걸어갔다. 그들은 계속 걷다가 산으로 향하는 오솔길과의 교차로에 이르자 반사적으로 위를 올려다보았다. 식료품상의 캠핑용 램프가 폐가의 하얀 벽을 훤히 비추고 있었다. 이 시각에 산속에 밝혀진 유일한 불빛이었다. 노인들 또한 늦게까지 잠들지 못하고 있었다. 루디는 또 시작했다.

"아! 저 식료품상 정말 내 맘에 쏙 든단 말이지. 아무래도 음악 때문에 못 자고들 있나 봐."

사라는 대답했다. "낮에 자겠지. 괜찮아."

"아까 지나가 무도회를 중단했으면 하는 거 봤지? 지나는 아마 우리 모두가 노인네들하고 같이 밤샘이라도 해야 직성이 풀릴 걸."

"무슨 소리야? 그렇지 않아. 게임에 참여하려는 걸 봐도 알 수 있지."

루디는 누그러진 목소리로 말했다. "그건 그래, 실은 아까 자크가 지나한테 반대했을 때 어찌나 마음이 쓰리던지. 내가 이 모양이라니까."

"너는 자크한테도 그랬을 거야, 확실해. 달리 어쩌겠냐고? 그건 그렇고 내일 아침에 우리 다 같이 그 남자 배를 타고서 푼타 비앙카까지 돌고 오는 거 어때?"

"언제 그런 말이 오갔는데?"

"오늘 아침에 해변에서."

"좋지, 좋아." 루디는 열광하며 말하더니 머뭇거리며 덧붙였다. "그런데 혹시 오늘 오후에 우리가 쏟아낸 고약한 말들 때문에 생각이 바뀐 건 아닐까? 아까 우리 따위 안중에도 없다는 듯이, 여봐란듯 혼자서 배타고 떠나버리는 거 봤잖아. 충분히 그럴 수 있어."

사라는 대답했다. "장난이려니 하겠지, 우리가 웃는 걸 똑똑히 본걸."

루디는 말했다. "너는 그렇게 많이 웃지 않았어, 다이아나도 그렇고."

두 사람은 더는 그 주제를 이어가지 않았다. 그들은 침묵했다.

돌연 다른 화제가 루디의 머리를 스쳤다. 그는 매우 부드럽게 말했다.

"그거 알아? 가끔씩 너는 참 네 얘기를 안 한다는 생각이 들 때가 있다는 거?"

"내가 워낙에 아무 생각이 없거든. 가끔은 생각 자체가 뭔지 아예 모르는 것 같기도 하고."

"그건 누구나 조금씩은 있는 생각이고. 내 얘기는 그런 뜻이 아니잖아. 왜 못 알아듣는 척하는 거야?"

"그 생각은 더 이상 안 하거든."

"혼자서만 눌러두기 힘든 말들이 있어. 난 네가 나에 대해 석연치 않은 감정을 갖고 있는 게 싫어."

"네가 그렇게 말한 데는 다 그럴 만한 이유가 있었다고 이해했어, 그러니까 그 얘기는 더 안 해도 돼."

루디는 신음을 흘렸다. "이런! 속상해라. 네가 여전히 날 원망하고 있을 줄 내 진즉에 알았지."

"너를 전혀 원망하지 않아, 루디."

"아니긴, 네가 날 원망하는 게 이렇게 똑똑히 느껴지는데. 날 이해해줘. 나도 우리가 어느 선에선, 그러니까 잘못 표현하거나 거짓으로 말하게 되리라는 생각이 드는 바로 그 선에선 입을 다물어야 한다고 생각해. 그 이전도, 이후도 아닌 딱 그 경계에서. 하지만 그래도 난 기를 쓰고 침묵을 고수하는 사람들보다 그 경계에 부딪쳐 보려고 애쓰는 사람들, 그 경계를 허물고 표현해 보려 애쓰는 사람들이 더 좋아. 그래, 어쨌든 나한텐 그 사람들이 더 나아 보여. 너는 적어도 일주일 전부터 나한테 품고 있는 감정을 말하지 않은 채 가슴에 담아 두고 있어. 난 그게 싫어. 너한테 상처가 될 테니까. 확신해."

"어쩌면 말보단 다른 걸 할 수 있을지도 몰라. 말과 똑같은 효과를 불러일으키면서 우리를 똑같이 홀가분하게 해 주는 다른 거."

"너의 그 고지식함이 어떨 땐 참 좋더라."

그들은 환한 빛이 새어 나오는 한 주택의 창문들 밑을 지나고 있었다. 그들은 마주보았다. 루디는 중얼거렸다.

"저 봐, 저 왠지 모를 씁쓸한 표정. 다 내 잘못이다."

"잘못 봤어. 난 요즘 전혀 씁쓸하지 않거든. 나도 너 같아. 세상 모든 게 다 만족스럽다고."

"이 무더위도? 이 지역도?"

"그래, 그것들조차."

루디는 사라의 팔을 붙들고서 잠시 아무 말도 하지 않은 채 움직이지 않았다. 마침내 그가 말했다.

"날 이해해줘, 이미 벌어진 일이야. 난 주워 담지 못할 말을 해 버렸고, 넌 아무 반박도 하지 않아. 이제 그 모든 게 우리 사이에 가로놓였어. 네가 마치 내가 아무 말도 안 했다는 듯이 군다면, 내 말은 엄청난 무게를 갖게 돼. 본래 의도했던 것보다 몇 천 배는 더. 착잡하다."

"더는 생각 안 한다니까."

놀이터가 가까워졌다. 루디는 여전히 생각에 잠겨 있었다. 그는 말했다.

"내가 지금 무슨 생각 하는지 알아? 모든 면에서 가장 겁 많은 사람들이 오히려 가장 큰 위험을 무릅쓴다는 거. 어쩌면 다른 사람들은 감히 절대 엄두를 낼 수 없는 것까지."

"공포심과 위험은 결국 같은 거니까."

"그럴지도. 위험을 무릅쓸 용기를 주는 게 바로 공포심일 수도 있지. 혼자서 두려움에 떠느니 차라리 뭐든 하는 거지."

"그런데 왜 그런 말을 하는 거야?"

"모르겠어. 그냥 그런 생각이 들었어."

그들은 놀이터에 이르렀다. 자크는 이미 와 있었다. 그는 카페로 가서 조명등을 켜달라고 청했다. 그가 카페에서 나오자마자 놀이터가 환해졌다.

지나의 주도 하에 팀이 정해졌다. 선수들이 많은 관계로 팀을 짜는 데는 늘 시간이 오래 걸렸다. 사라는 자기는 게임을 하지 않을 것이고 곧 돌아가 봐야 한다고 말했다. 루디는 큰 기대 없이 사라에게 그냥 있으라고 몇 번 더 졸랐다.

다른 사람들이 놀이터의 강렬한 조명 빛 아래 서서 균형을 맞춰 팀을 짜느라 고심하는 동안, 사라는 공놀이가 잘 보이는, 빛이 비치지 않는 벤치에 가서 앉았다. 남자가 그녀에게 다가와 말했다. "오늘은 게임을 하고 싶지 않군요. 선수들이 이미 넘쳐요."

선수들은 과연 넘치게 많아서 게임을 편성하는 것도 끝이 없었다. 누군가는 번번이 실망했다. 그것은 지나가 바라던 바였다. 남자는 그들을 보며 웃었다. 사라도 따라 웃었다.

결국 지나는 자크와 다이아나를 자기편에 넣었다. 루디는 게임에 능숙한 호텔 투숙객들로 구성된 다른 팀에 들어갔다. 팀원은 여섯 명씩이었고, 사실 너무 많았다. 경기마다 한없이 길어졌다. 그리고 경기마다 점수를 두고 벌어지는 지나와 루디의 언쟁으로 끝나기 일쑤였다. 언쟁은 격렬했지만 심각한 문제는 아니었고, 그저 사람들에게 지나의 승부사 기질과 루디와 맞서기를 즐기는 고질적 악취미만을 알려 줄 뿐이었다. 루디는 즐거워하며 지나에게 맞춰 주었는데, 지나가 좀 수선스럽다 싶게 활기를 되찾는 건 이렇게 해변 놀이나 다른 놀이를 할 때뿐이었기 때문이다.

게임이 시작되었다. 다들 즉시 강도 높게 몰입했다. 사라와 남자는 다른 네 사람과 함께 벤치에 나란히 앉아 경기를 지켜보았다. 그들은 경기 중반까지, 아마 30분가량 동안, 경기만 관전했다. 마

침내 남자가 말을 꺼냈을 때 그의 목소리는 무도회의 음악 소리
와 선수들의 고함 소리에 묻혔다. 그는 말했다.

"당신과 잠깐만이라도 무도회에 가고 싶군요."

그의 시선은 여전히 경기장에 고정돼 있었다. 목소리는 거의 무
심하게 들릴 만큼 차분했다.

"안 될 거 없죠."

남자의 시선이 그녀에게 쏠렸다.

"정말로 가능한 일인지 알고 싶어요."

사라는 조금 주저했다. 자크는 경기에 완전히 몰입해서 다이아나
가 공을 던지는 걸 주시하고 있었다. 사라는 말했다.

"가능한 일이에요."

남자는 고민 끝의 결심이 묻어나는 느린 말투로 말했다.

"그럼, 지금이라도 가시죠."

"네."

"듣기로는 시간이 얼마 없으시다고요."

"가정부야 나를 좀더 기다려도 돼요."

남자는 일어났다. 사라도 따라 일어나 자크에게 갔다. 남자는 벤
치 옆에 서 있었다.

사라는 자크에게 말했다. "난 무도회장에 잠시 들렀다 집으로
갈게."

자크는 벤치 옆에 서 있는 남자를 힐끔 쳐다보았다. 다이아나도 남자를 보았다. 자크와 남자는 서로를 바라보며 미소 지었다. 남자는 살짝 양해를 구하는 표정이었다. 자크는 상황을 다 이해했다는 표정을 지었다. 그는 말했다.

"좋은 생각이야."

사라는 대답했다. "우리는 게임을 안 하니까."

"맞아, 남 노는 걸 멀거니 앉아 구경하면 뭐하겠어?"

"나도 같이 갔더라면 좋았을 텐데." 다이아나는 말했다. 마치 돌이킬 수 없는 일이라는 듯한 말투였다.

"네 차례야!" 지나가 자크에게 외쳤다.

사라는 남자쪽으로 갔다. 그들은 놀이터 울타리를 벗어났다.

카페 맞은편, 강어귀의 바다 쪽에 무도회장이 있었다. 무도회장과 카페가 길 하나를 사이에 두고 마주보고 있었다. 무도회장이라고 해 봤자 말뚝 위에 널판자를 얹어 흰 석회가 칠해진 갈대 울타리로 둘러친 곳일 뿐이었다. 음료수를 마시려면 길 건너 맞은편 카페의 테라스로 가야 했다. 낮에 이곳은 한적했고, -이번에도 더위 때문에- 음료수도 실내에서 마셔야 했으며, 갈대 새장 같은 무도회장엔 춤추는 사람은 없고 태양의 하얀 빛살들만 가득했다. 하지만 지금 무도회장은 춤추는 젊은이들로 북적거렸고, 번쩍이는 조명이 작은 카페의 테라스와 하얀 갈대 울타리와 춤을 추고 있는 이들에게 현란한 빛을 어른어른 흩뿌렸다. 그들이 도착하자 '마드무아젤 드 파리 mademoiselle de Paris(파리의 아가씨)'가 흘러나오고 있었다. 그들은 캄파리를 주문했다. 사라는 말했다.

"무도회란 게 참 재밌어요. 생각하면 갈대 몇 대로 울타리를 쳐놓은 것뿐인데 이렇게 전역에서 사람들이 몰려드니 말이에요."

남자는 대답했다. "당신이 함께 와 줘서 기뻐요. 그래요, 생각하면 무도회란 건 참 흥미롭죠."

"희한하네요, 왜 내 친구들은 여기 올 생각을 안 하고 늘 공만치는 건지."

"너무 가까이 있으니 오히려 갈 생각을 못하는 거죠. 그게 이유에요."

그들은 춤추는 이들을 바라보았고, 다시 무도회에 대해 이야기를 나누었다. 남자는 아프리카에 대해 잘은 모르지만 에티오피아나 소말리아의 전초 기지가 이렇지 않을까 상상해 봤다고 말했다.

사라는 말했다. "당신은 내가 당신과 함께 올 줄 알고 있었어요."

"짐작은 했지만 그래도 모르는 일이니까, 확신할 순 없었어요."

그는 덧붙였다. "그런데 왜 당신은 늘 당신이 아이를 돌보는 상황을 만드는 건지, 난 그게 궁금해요. 내가 이곳에 온 지 일주일

째인데…."

"그런 상황을 만드는 건 내가 아니라 항상 날 기다리고 있다는 사실을 내가 잊지 않도록 만드는 가정부죠."

"그 말을 다는 못 믿겠어요."

"사실이에요. 누군가 기다리는 걸 알면, 절대로 그 사실을 무시할 수 없어요."

"가정부에게 애인이 있죠? 그렇죠?"

"네. 세관원이에요. 그 사람이 저녁에만 외출이 허용되거든요."

남자는 단언했다. "당신들은 누구랄 것도 없이 다들 압도적으로 개성이 뚜렷해요."

그는 쿡쿡거렸다. "아! 정말 여기로 휴가를 오길 잘했어요."

"당신이 루디와 지나에 대해 좀더 잘 알게 되었으면 좋겠어요."

"나도 그래요."

"평생에, 그것도 운이 좋을 때, 한 번 만날까 말까 한 친구들이라고 생각해요."

"벌써부터 믿어지는 걸요. 하지만 우리 모두는 누구나 평생에 단한 번 만나는 게 아닐까요?"

그들은 캄파리를 마셨다. 사라는 말했다.

"재밌네요, 우리는 이런 얘기를 나눌 정도로 친숙한 사이가 아닌데 말이에요."

"내 이름은 장이에요."

"그러고 보니 이곳에선 아무도 당신을 이름으로 부르지 않아요."

"당신은 사라라고 부르고요. 그렇죠?"

"맞아요."

"난 상관 안 해요."

그녀는 캄파리를 한 잔 더 하고 싶었다. 그도 마찬가지였다. 그는 처음엔 썩 좋아하지 않았던 이 음료에 익숙해졌다고 말했다. 더러 그런 것들이 있었다, 처음엔 썩 좋아하지 않았다가 언제부턴가 즐길 정도로까지 익숙해져서 종국에는 없으면 안 되는 것들이. 그는 이제 이곳에 캄파리가 없으면 어떻게 살아야 할지 모르겠다고 말했다. 그렇게 새롭게 발견하게 되는 것들이 있었다.

남자는 말했다. "혹시 바로 가지 않아도 된다면, 배를 타고 바다로 나가볼 수도 있는데."

"시간이 있다 해도, 그건 안 될 말이에요. 모두가 당신 배를 타 보고 싶어서 안달이 났거든요. 모터 소리는 멀리서도 들리니까요. 내일 아침에 다같이 타기로 해요."

남자는 되뇌었다. "내일 아침에."

"오늘 오후 해변에서 우리 모두 무슨 생각으로 그랬는지 모르겠어요."

"난 신경쓰지 않았는데요?"

"우리가 당신한테 좀 악의적으로 굴었던 것 같아서요."

"누구나 악의는 있죠. 지극히 선한 사람들일지라도."

"상관없나요?"

"뭐 그렇게 대단히는요⋯." 그는 덧붙였다. "덧붙여 해명하자면, 진짜 표적은 따로 있고 나한테는 그 불똥이 조금 튄 듯하다고나 할까. 그저 나는 그런 기분이었어요."

"그럴 수 있어요. 늘 그렇게 함께 있다 보니 말이죠."

그는 테이블 쪽으로 몸을 기울였고, 그의 얼굴이 사라의 얼굴에 가까워졌다. 그는 말했다.

"그리고 당신은 아이가 하나 있죠."

"그래요."

"그리고 성미가 몹시 고약한 가정부도 있죠."

"그래요, 그리고 나는 바다를 굉장히 무서워하죠."

"바다, 그래요. 그리고 바다 말고도 다른 많은 것들을 두려워하죠."

"네, 다른 많은 것들을."

그는 웃으며 말했다.

"그렇다면 내가 사람을 잘못 본 건 아니군요."

사라도 따라 웃으며 말했다.

"또 모르죠."

"아니요. 우리가 서로 잘못 본 것 같진 않아요. 설령 그렇다 해도 뭐가 문제겠어요?"

"그래요."

그가 테이블 쪽으로 고개를 좀더 기울였지만, 사라는 의자에서 꼼짝도 하지 않았다. 그녀는 그렇게 가까이에서 그를 볼 수 있는 것만으로 만족했다. 그는 그녀가 자신과 똑같이 고개를 기울이고 싶지 않은 것이 아니라 그럴 수 없다는 걸 이해했다. 좁은 동네였고, 서른 명 남짓의 휴가객들뿐만 아니라 마을 전체가 그들을 알고 있었다. 단지 그 이유 때문이었다.

사라는 말했다. "캄파리 한 잔 더 하고 싶어요. 당신은요?"

"열 잔, 난 열 잔이라도 함께 마시고 싶어요."

그는 좀더 가까이 다가왔다. 그리고 물었다.

"그 다음은?"

"글쎄요. 잘 모르겠어요."

"평소 이 시간에 아무것도 안 해요?"

"아무것도요. 잘 자는 거? 당신은요?"

"특별히 없어요."

"그것도 특별한 거예요."

남자는 웃으며 말했다.

"자, 이만하면 서로 알 만큼 다 알게 된 셈인가요?"

그들은 한동안, 석 잔째 캄파리를 마시는 동안, 더는 아무 말도 하지 않았다. 그리고 나서 그 지역, 루디, 그곳 사람들, 그리고 더위와 바다에 대해 말했다. 마침내 사라가 일어섰다.

"이제 그만 가정부에게 가 봐야겠어요."

그는 집까지 바래다 주겠다고 나섰고, 그녀는 그러라고 했다. 그는 술값을 치렀다. 다소 들뜬 기색이었다. 혈기왕성한 젊은 나이기 때문은 아니었다. 아니, 그는 여자들에게 인기가 많아지면 자신의 위상이 높아진 것으로 간주하여 여자들을 유혹하는 데 혈안이 되는 그런 유형의 남자가 아니었기 때문이다. 그런 건 한눈에 알 수 있었다. 다만 고지에 근접했다고 느끼는 듯했다. 캄파리 몇 잔에는 지나치게 많은 팁을 주고 나왔다.

그들이 놀이터 앞을 지날 때, 자크가 공을 던지고 있었다. 자크는 무리 중에서 세 손가락 안에 드는 우수한 선수였다. 모두들 그가 던지는 모습을 숨죽이며 지켜보았다. 사라가 이 야심한 시각에 남자와 함께 지나가는 것을 아무도 보지 못했다. 길은 한적했고 100미터 남짓 길이의 길가에 일정한 간격으로 늘어선 네 개의 가로등은 길가 주택의 하얀 벽들만을 비추었다. 그들은 마을 중심에 있는 상점 세 곳을 지나, 이 근방의 유일한 나무, 루디가 태양 때문이 아니라 포장도로 때문에 죽은 거라고 주장하는 그 나무가 서 있는 호텔 광장에 이르렀다. 호텔엔 아직 세 명의 손님이 남아 있었고, 그중엔 식료품상도 있었다. 사라는 남자를 캐노피 안으로 이끌었다. 이번엔 강 건너의 오케스트라가 '마드무아젤 드 파리'를 연주하고 있었고, 식료품상은 레몬에이드 한 잔을 앞에 둔 채 홀로 음악에 맞춰 손을 까딱거렸다. 그는 하품을 했다. 강 건너에서는 이젠 '파파베리 papaveri(양귀비꽃)'를 연주했다. 사라는 인사했다. "안녕하세요."

식료품상은 오만상을 지으며 레몬에이드를 가리켰다. 그는 말했다.

"아무래도 눈을 좀 붙이긴 해야 하니 말이오. 저 위엔 포도주밖에 없으니 사람 죽겠더라고요."

사라는 남자와 식료품상을 인사 시켰다. 하지만 그들은 이미 안면이 있었다. 식료품상은 말했다.

"댁이 보트 주인이죠? 저 위에서 아침마다 먼 바다로 나가시는 걸 봤소. 아주 멋지더이다. 저 위에서 보면 배가 지나간 자리로 물살이 오래도록 남아 있지요."

사라는 물었다. "어떻게, 신부는 왔나요?"

"내일 온답니다. 하지만 내가 그간 보아 온 바로는, 여간해서 물러날 노인네들이 아니오."

"할머니는 식사 좀 하셨어요?"

"스프는 좀 넘깁니다만, 치즈는 입에도 안 댔소. 노인네들이 떠나면 나도 그들에게 놀러 가려고요. 이제껏 늘 방문할 친구가 한 명도 없는 게 아쉬웠거든. 핑계 삼아 여행 좀 해야지. 올 겨울에 찾아갈 거요."

사라는 말했다. "지금 '노인네들이 떠나면'이라고 하셨잖아요. 그건 그분들이 떠나는 상황도 가능하다고 보시는 건가요?"

식료품상은 대답했다. "그보다는 떠나는 상황이 불가피하다고 보는 거요. 달리 뭘 어쩔 수 있겠소? 이만하면 이미 오래 버텼어요." 그는 레몬에이드로 목을 조금 축였다. "난 그 노인네들이 좋소. 이유는 모르오. 어쩌면 그저 낯선 사람들이라서 그럴지도 모르고. 내가 노인네들 기분 전환을 해주려고 너절한 내 인생사를 죄다 얘기해 주고, 거기에 내 인생을 넘어, 내가 살아 보지 못한 인생, 살아 보고 싶었던 인생 얘기까지 들려줬기 때문일지도 모르지. 이제껏 내 말을 그렇게까지 귀담아 들어준 이들은 없었거든. 그런데 왠지 몰라도 말하는 것도 꽤나 피곤한 일입디다."

사라는 대답했다. "어쩐지 아저씨하고는 할머니가 얘기를 할 것 같더라고요. 틀림없이 그럴 줄 알았어요. 마침 지나하고도 그렇게 얘기했고요."

"뭐, 뜨문뜨문 이런저런 얘기를 하긴 했지만, 할머니는 무엇보다 얘기 듣는 걸 좋아했소. 내가 얘기를 늘어놓기 시작한 것도 바로 그래서요. 어쨌든 할머니가 고맙다, 왔느냐, 잘 가라 정도의 말은 해요.”

“더위는요? 뭐라세요?”

“그건 일언반구도 없어요. 화재에 대해서도 그렇고. 그저 우리에
게 불이 난 곳을 가리켜 보인 게 다요.”

그는 레몬에이드를 한 모금 삼켰다.

“얘기를 듣는 할머니의 얼굴을 직접 봤어야 하는데…. 내 생각엔
할머니는 그렇게까지 불행하지 않아요. 그럴 여력도, 젊음도 없
다고 할까. 하여튼 불행과는 또 달라요.”

남자는 물었다. “그럼 뭔데요?”

식료품상은 대답했다. “글쎄, 그걸 뭐라고 해야 할까? 더 이상 붙
일 이름이 없소. 더 이상 이름을 붙일 필요도 없고. 그래 봤자 무
슨 소용이겠소?”

사라는 대꾸했다. “어쩌면요.”

식료품상은 말했다. “어쩌면 고단함, 고단함이라고 할까.”

그는 입을 다물었다. 오늘밤, 그는 죽은 청년의 모친만큼이나 늙
어 보였다.

사라는 말했다. “내일 아침에 뵈러 갈게요.” 그녀는 덧붙였다.

“어쩌면 우리가 이렇게 매일 찾아가는 게 외려 그분들을 성가시
게 하는 걸 수도 있겠지만요.”

“아! 그건 아니오. 외려 그 반대지. 할머니가 아직도 사람들을 좋

아해요. 사람들 얘기를 듣는 걸 좋아한다고, 그것도 아주 많이."

그들은 떠났다. 광장 이후로는 길에 가로등이 전혀 없어 어두컴컴했다. 하지만 강물에 반사된 희끄무레한 하늘이 길을 충분히 밝혀 주었다. 강물이 매우 가까워졌다. 밀물이 들어오고 있었다. 느린 파도의 리듬에 따라 간헐적으로 둑에 와 철썩 부딪치고 부서지는 물소리가 들렸다.

사라는 말했다. "어쨌든 이 강이 있었네요. 봐도 봐도 질리지 않아요. 어쩌면 저리 아름다운지. 특히 저렇게 밀려 들어와 넓게 퍼질 땐 더더욱."

"어제 다리가 있는 곳까지 강물을 따라 올라가 봤어요. 다리에서 꺾어지는 곳부터는 차단벽이 설치됐더라고요. 거긴 강물에 새들이 그득그득해요. 당신도 그걸 봐야 하는데."

"언제 하루 해변에서 돌아오는 길에 가볼 수도 있겠죠."

"좀더 일찍 가야 돼요. 그 시간에 가면 새들을 볼 수 없거든요."

"나도 루디한테 들었어요. 루디는 적어도 매년 한 번씩은 강물 위쪽을 올라가 보거든요."

"대체 루디가 당신한테 안 하는 얘기는 뭔가요?"

남자는 그녀에게 바짝 다가가 팔을 잡았다. 그리고 물었다.

"왜 그래요?"

"아무것도 아니에요."

그는 갑작스럽게 그녀를 끌어안았다.

"루디 때문에 슬퍼진 건가요?"

"모르겠어요."

"난 이런저런 얘기 듣는 걸 좋아하죠."

"그건 당신한테 말할 수 없어요."

"말하는 걸 그다지 좋아하지 않나요?"

"그다지 좋아하지 않아요."

그녀는 그를 돌아보았다. 그들은 서로를 바라보았다. 그는 말했다.

"슬퍼하면 안 돼요."

그들은 기다란 길을 한참 동안, 아무 말도 없이 걷기만 했다. 파도가 여전히 강으로 밀려 올라왔다가 부서졌다. 마침내 남자가 물었다.

"이제 지나갔나요?"

"지나갔어요."

"이상하군요. 이렇게나 당신에게 빠져들다니."

밤이 어찌나 무더웠던지 그들의 팔이 닿은 부분은 금세 축축해졌다. 그들은 집 앞에 다다를 때까지 더는 아무 말도 하지 않았다. 사라는 멈춰 섰고, 말했다.

"다 왔어요."

그는 그녀에게 키스했다. 그리고 그녀에게서 한 걸음 물러났다. 그녀는 미동도 하지 않았다. 그들은 서로를 바라보았다. 사라는 그의 시선에서 반짝이는 강을 보았다. 그는 말했다.

"가고 싶지 않아요."

사라는 미동도 하지 않았다. 그는 다시 키스했다. 그리고 재차 말했다.

"가지 않겠어요."

그는 다시 한 번 키스했다. 그들은 별장 안으로 들어갔다.

가정부는 현관 계단에 앉아 그녀를 기다리고 있었다.

사라는 말했다. "내가 좀 늦었네요."

가정부는 말했다. "열 시예요. 아홉 시에는 오겠다고 하셨잖아요. 이젠 무도회에 갈 시간도 없어요. 지긋지긋해라."

사라는 대답했다.

"아가씨는 매일 무도회에 가잖아요, 오늘 한 번쯤은 늦게 갈 수도 있죠. 나도 무도회에 가 보느라고 늦은 거예요."

"아주머니까지 가실 정도면, 무도회도 이젠 망조가 들었네요."

가정부는 체구가 자그마했는데, 굽 높은 에나멜가죽 하이힐을 신고 짙은 화장을 했다. 어리고 예쁘장한 매춘부 같았다.

"어쨌든 가 봐요. 그렇게 준비도 다했는데 안 가면 서운하겠어요."

가정부는 누그러진 어조로 대답했다. "꼭 그래서가 아니라 그 사람이 열한 시까지밖에 못 있거든요."

"그럼 아직 한 시간이나 남았잖아요. 아직 기다리고 있을 거예요." 사라는 덧붙였다. "그리고 남자라면 오늘밤 무도회에 차고 넘치게 있을 거고요."

"무슨 말씀이세요? 전 그 사람이 아니면 다 싫다고요. 대체 사람을 뭘로 보시는 거예요?"

가정부는 모욕의 증인으로 삼겠다는 듯 남자를 바라보았지만, 남자는 강 쪽으로 돌아선 채 담배를 피우며 뒤돌아보지 않았다. 사라는 말했다.

"미안. 자, 어서 가 봐요."

"하긴 이렇게 치장했으니 그냥 자는 것도 맥빠질 거예요. 자, 아저씨, 아주머니, 그럼 전 이만 가볼게요."

그녀는 떠났다. 남자는 사라를 향해 몸을 돌리더니 약간 어색한 듯 미소를 지었다가, 바닥에 주저앉아 벽에 등을 기댔다. 사라는 그에게 양해를 구한 뒤 안으로 들어갔다. 집안은 역시 낮처럼 무더웠다. 그녀는 살금살금 아이 방으로 들어갔다. 가정부는 오늘도 창문 여는 걸 잊었다. 그녀는 창문을 활짝 열고서 아이 곁으로 다가가 어둠 속에서 물끄러미 바라보았다. 아이는 곤히 자고 있었지만 더워했다. 그녀는 아이가 둘둘 감고 있던 이불을 걷어 주고서 이마의 땀도 닦아 주었다. 그러고 나서도 베란다에서 자신을 기다리고 있을 남자를 생각하며 아이를 좀더 바라보았다. 아이는 꽃잎보다도 가볍게 새근거렸고, 땀에 젖은 순진한 이마는 한 떨기 꽃 같았다. 그녀는 이런 장소, 아이들한테 열악한 이런 장소로 휴가를 오는 건 이번이 마지막이라고 매일 밤 -그래도 오늘밤은 쓸쓸해하지 않고 적당히- 생각했다. 그녀가 키스하자, 아이가 별안간 잠꼬대를 흘리며 벽 쪽으로 돌아누웠다. 그녀는 잠시 기다렸다. 이윽고 아이는 돌아누운 채로 움직이지 않았고, 새근거리는 숨소리가 어둠 속에서, 신의 숨결처럼 안정적으로 울렸다. 그녀는 미소 지었고, 부엌으로 가서 키안티 포도주 한 병과 잔 두 개를 집어 들고 베란다로 갔다. 그녀는 말했다.

"아이 좀 보고 왔어요. 가정부가 창문 여는 걸 매일 잊거든요, 정말 매일."

남자는 말했다. "참 신기해요, 처음 여기 왔을 땐 당신은 전혀 눈에 띄지 않았어요."

사라는 잔 두 개에 포도주를 따르고는 창문가에 키안티 포도주 병을 내려놓은 뒤 남자 곁에 앉았다. 그녀는 말했다.

"이젠 이 가정부에게 신물이 나요. 다른 건 다 그냥 넘어가도 창문을 열어 놓지 않는 건 참기 어렵네요."

남자는 말했다. "처음 내 눈에 들어온 건, 아이를 향한 당신의 사랑이었어요. 그냥 눈에 들어온 정도가 아니라, 거슬릴 정도였죠."

"다들 그렇게 말해요."

"그 다음엔 당신과 가정부의 특별한 관계가 눈에 들어왔어요."

"아무래도 다른 사람을 구해야 할까 봐요."

"그런데 당신, 당신은 전혀 눈에 들어오지 않았죠."

"어째서죠?"

"저는 루디한테 주목했거든요…. 그 다음엔 자크, 이어서 지나, 다이아나. 하지만 당신은 아니었어요."

"그럼 당연히 나도 눈에 띄었을 텐데요, 그들과 함께 있었으니까."

"왜요?"

"설사 그 전에 날 인식하지 못했더라도 친구들과 함께 있는 날 보며 누군지 궁금해했어야 하는 게 당연하니까요."

"그래야 했겠죠." 남자는 덧붙였다. "원래는 어제 여길 떠날 계획이었어요. 그랬는데 어제 아침에 당신이 길을 걸어오는 걸 봤죠. 그 전날도 이미 당신을 보았고요. 그랬는데 지금은 여기 이렇게 당신과 함께 있게 되었죠."

그는 포도주를 마시고 나서 잔을 내려놓은 뒤 돌연, 그녀를 끌어안았다. 길 건너편에 멈춰 서서 키스한 이후로, 그들은 아직 키스하지 않았다. 남자는 말했다.

"결론은 만회하기를 원하기만 하면 되는 거죠. 모두가 어떤 식으로든 만회하고 싶어하잖아요, 안 그래요?"

"그래요."

그는 그녀를 자기 품안에 쓰러뜨리고 나서, 머리칼을 쓰다듬으며 오래도록 바라보았다. 사라는 말했다.

"당신은 바로 내 눈에 들어왔어요."

시간이 조금 흘렀지만 아직 둘만의 시간을 충분히 갖지 못할 정도로 많이 흐른 것은 아니었고, 그들도 그 사실을 알았다.

남자는 말했다. "당신은 모든 것을 다 보잖아, 안 보는 게 없이 전부 다."

사라는 대답했다. "그래, 그래서 기뻐, 당신을 위해서도 나를 위해서도."

그는 그녀를 세차게 끌어안고서, 베란다 타일 바닥에 함께 쓰러졌다. 그리고 웃으면서 말했다.

"당신은 만회를 잘해, 다른 방식으로."

그는 바다를 바라보며 잠시 침묵하다가 물었다.

"그런데 뭐였어? 아까 알고 싶었어."

"아무것도 아냐."

"아니, 뭔가 있었어. 그게 뭔지 알고 싶었어."

"그냥 모두가 좀 지친 상태였어."

그녀는 그의 욕망의 대상이 된 게 황홀했다. 사실 그녀는 남자들의 욕망의 대상이 되는 것을 언제나 황홀해했다. 사라는 그렇게 순진하고 단순했다. 강 너머에서 '블루문'이 연주됐고, 그들이 있는 이쪽에서 울려 퍼지는 건 '마드무아젤 드 파리'였다. 하지만 지리적 위치며 강과 산, 이 집, 밤이 이슥한 시각, 평원에서 불어오는 산들바람의 방향 등을 다 따져보면 그들에게 가닿는 음악은 '블루문'이었다. 듣지 못할 뿐이었다.

한 시간 뒤 남자가 떠나자, 자크가 경기를 마치고 돌아왔다. 그는 사라에게 인사말을 건넨 뒤 불을 켜고서 옷을 벗었다.

"안 자고 있었어?"

"더워."

사라는 자크가 옷 벗는 모습을 지켜보았다. 그녀는 남자가 떠난 이후로 자크에 대해, 자크와 남자에 대해 생각하고 있었다. 자크가 옷을 벗는 동안 그녀는 여전히 생각을 이어갔고, 말했다.

"머리가 젖었어."

"다이아나랑 작은 해변에서 수영했어. 당신도 언제 밤에 한 번 같이 가자. 끝내줘."

"다른 친구들은 안 가고? 루디는?"

"아! 루디."

그는 담배에 불을 붙이고는 침대에 앉더니 말했다.

"루디도 가고 싶어했지. 그런데 지나가 못 가게 했어. 루디가 늦게 들어와서 자기를 깨울 거라나? 늘 같은 얘기지."

그는 드러누운 뒤 불을 껐다.

"당신은 뭐했어?"

"아무것도. 그저 포도주 한 잔씩 했어."

그는 잠시 침묵하다가 말했다.

"그래서, 그 친구는 갔어?"

"응."

그는 그녀를 품에 안았다.

"바람피우고 싶지 않아?"

"나도 당신과 마찬가지지."

그는 어둠 속에서 담배를 피우며 다른 손으로는 사라를 끌어안고 있었다. 담배를 빨아들이자 그의 얼굴이 환해졌다. 그녀는 그가 화로처럼 달아오르는 것을 힐끔 보았다.

"왜 나한테 바람피우고 싶다는 말을 하는 거야?"

"글쎄? 가끔은 당신한테 진실을 얘기하고 싶은가 보지."

그녀는 그가 빙긋 웃는 걸 보았다. 그는 말했다.

"하긴 진실에 익숙해져야 하는데 말이야."

그녀는 대답하지 않았다.

"바람피우고 싶은 생각이 간절해?"

"당신처럼." 그녀는 같은 대답을 했다.

"내가 바람피우고 싶은지 아닌지 당신이 어떻게 알아?"

"당신이 여자들을 쳐다보는 눈빛을 보면 알지. 그건 피차일반이 겠고."

그는 담배를 피우느라 잠깐 사이를 두었다가 말했다.

"사실 나로서는 견디기 힘든 얘기야."

"난 잘 견디는데."

그는 꽁초를 재떨이에 비벼 끄고서, 새 담배에 불을 붙이며 그 불빛에 비친 그녀를 바라보았다.

"당신 생각에, 예를 들어 지나는 루디를 두고 바람피우고 싶어 하는 것 같아?"

"절대 그렇지 않을 거야. 하지만 사람은 또 모르는 거니까."

"왜 지나 같은 여자들이 존재하는 걸까?"

"글쎄, 아예 그럴 생각 자체를 잊어버린 게 아닐까? 그저 추측 이지만…."

그는 대답하지 않았다. 사라는 말했다.

"당신은 아마 그럴 생각 자체를 잊은 여자들도 견딜 수 없을걸."

"맞아."

그는 다시 그녀를 바라보다가 머리칼을 쓰다듬었다.

"이젠 이 휴가 때문에 우울한 게 좀 덜해 보이네. 아! 정말 그렇게 되길 얼마나 바랐는지."

"그게 보여?"

"응, 당신 얼굴만 봐도 금세 알 수 있어, 심지어 목소리만 들어도."

"이곳에 좀 익숙해진 건 사실이야. 그렇지 않아?"

그는 담뱃불을 껐다. 그대로 얼마간의 시간이 흘렀다.

자크는 대답했다. "난 익숙해지지가 않아, 그나마 루디가 있고 바다가 있으니 견디지만."

사라는 말했다. "여기든 다른 곳이든, 어디선가 휴가는 보내야 하니까. 안 그래?"

"아마도. 하지만." 그는 머뭇거렸다. "난 그런 사고방식을 썩 좋아하지는 않아."

3

다음 날, 한결같은 더위가 조금도 누그러들지 않은 채 사라를 맞았다.

밤새 비라고는 한 방울도 떨어지지 않았다. 바람은 강하게 불지 않았고 산불도 더는 번지지 않았다. 사라는 오늘도 제일 먼저 일어났다. 역시나 오전 열 시 무렵이었다. 그녀는 베란다 계단의 어제와 같은 자리에 앉아 벌써 태양빛에 노글노글해진 정원을 바라보고 있는 아이를 발견했다.

아이는 말했다. "도마뱀들이 지나가는 걸 보고 있어."

아이는 티셔츠만 걸친 채 맨 엉덩이를 타일 바닥에 붙이고서 콜로신트 덩굴에서 눈을 떼지 않았다. 도마뱀들이 거기서 출발해 강변을 따라 조성된 갈대숲 쪽으로 줄지어 간다고 믿었기 때문이다. 그녀는 아이를 혼자 두고 부엌으로 갔다. 가정부는 늦게 일어날 것에 대비해 저녁에 커피를 준비해 두었다. 사라는 데울 생각도 하지 않고서 식은 커피를 큰 잔에 따라 단숨에 비우고는 -밤은 술만큼이나 갈증을 유발했다- 담배에 불을 붙인 뒤 베란다 계단으로 돌아가 아이 곁에 앉았다.

지금은 휴가 중이다. 그녀는 루디 혹은 다이아나가 오기를 기다리는 것 말고는 달리 할 일이 없었다.

아이는 저 멀리 콜로신트 덩굴을 주시하면서도 도마뱀들의 움직임을 놓치지 않았다.

"많이 봤어?"

"백만 마리. -아이는 생각을 고쳐먹었다- 적어도 두 마리는 봤어."

아이는 엄마를 돌아보았으나 정신은 도마뱀한테 가 있었다.

"아빠는?"

"주무셔. 오늘 아침은 뭘 좀 먹을래?"

"부엌에서 빵 하나 집어먹었어. 아빠가 도마뱀 한 마리 잡아 줬으면 좋겠다."

그녀는 고개를 기울여 아이한테 키스했다. 한결같은 이 햇볕 냄새.

"너 혼자서 그렇게 아침을 해결했단 말이야?"

"잔 누나한테 갔더니 나더러 젠장, 이라고 했어, 그래서 선반에 있는 빵을 집어 온 거야."

사라는 혼잣말을 했다. "우유를 주면 좋을 텐데, 여기선 우유가 아침 여덟 시부터 상하니. 차를 끓여 줘야겠다. 차 마실래?"

"응, 아빠가 깨어나면 도마뱀 잡아 달래서 상자에 넣어 둘 거야."

그녀는 고개를 기울여 다시 한 번 아이한테 키스하고는, 햇살의 냄새가 밴 아이의 머리칼을 다시 한 번 -현기증이 날 때까지- 킁킁거렸다. 그녀는 말했다.

"엄마는 깊은 바다보다 더 깊이깊이 널 사랑한단다."

"그럼 대서양은?"

"대서양보다도 더 깊이, 세상에 있는 모든 것보다 더 깊고 크게."

"그럼 세상에 없는 것보다는?"

"당연히 세상에 없는 것보다도 더 깊고 크게 사랑하지."

아이는 건성으로 대답했다. "나도. 내가 원하는 건 빨간 도마뱀이야. 아빠가 빨간 도마뱀도 있다고 했어."

"있고말고."

사라는 아이를 품에 안아 올리려 했지만 도마뱀에 정신이 팔린 아이가 버둥거렸다. 그녀는 아이를 땅바닥에 내려놓았고, 아이는 이내 도마뱀 감시에 들어갔다. 지치지도 않았다.

사라는 부엌으로 다시 가서 식은 커피를 좀더 마신 뒤 차를 끓였다. 가정부가 깨어나, 기지개를 켜고 하품을 하면서 들어왔다. 간밤에 늦게 잠든 품새였다. 푸석한 곱슬머리 속에서 전날의 화장기가 덕지덕지 남아 있는 지저분하고 방탕한 작은 얼굴이 드러났다. 더위에 짓눌려 아침 인사를 주고받을 힘을 내기도 쉽지 않았다. 가정부도 말없이 식은 커피를 잔에 따르고는 몽유병자처럼 멍하니 욕실로 향했다. 곧이어 자크도 일어났다. 그는 사라에게 다가가 말없이 키스한 뒤, 역시 식은 커피를 마셨다. 그리고는 곧바로 사라가 했던 그대로, 베란다 계단에 가서 앉았다. 사라는 그가 지친 목소리로 빨간 도마뱀의 존재에 대해 이야기하는 소리를 들었다. 차가 준비되었고, 그녀가 아이한테 한 잔 가져다주었다. 자크는 말했다.

"끔찍한 밤이었어. 커피를 마시니 좀 낫군."

"비, 비가 와야 돼."

아이는 차를 단숨에 삼키고는 한 잔 더 달라고 했다. 아이와 식물들이 갈증으로 죽을 판이었다.

자크는 말했다. "베란다에서 두 시간은 잤나 봐. 침대가 뜨겁더라고. 정신이 완전히 멍해."

사라는 대답했다. "다들 그래. 루디만 빼고."

그녀는 계단으로 가서 그의 곁에 앉았다.

"아빠, 빨간 도마뱀."

"못 잡아."

자크는 부엌으로 가서 찬물을 한 통 들고 나와 정원의 콜로신트 덩굴 옆에서 샤워를 하며 말했다.

"이 불쌍하고 멍청한 콜로신트들에게는 이게 단비가 되겠지."

사라도 부엌으로 가서 가득 채운 물 한 통을 갖고 나와 아이를 천천히 씻겼다. 이번에는 백일홍 옆이었다. 울타리 너머에서 어부가 미소를 지으며 그들을 지켜보았다. 아이는 눈을 감고서 물을 맞으며 까르르거렸다. 그녀는 물 세 통을 더 가져와 아이에게 계속해서, 오래도록, 천천히 물을 끼얹어 주었다.

어부는 말했다.

"다행히도 우물물은 아직 마르지 않았어요."

"다행히도요."

그녀는 아이가 발가벗은 채로 정원을 뛰어다니게 내버려두었고, 샤워의 청량함을 오래도록 유지하게 하기 위해 물기도 닦아 주지 않았다.

가정부가 여전히 화장기가 남아 있는 얼굴로 손에는 행주를 들고서 현관에 나타났다.

"점심에 뭘 먹을까요? 죽을 맛이에요."

자크가 대꾸했다. "우리 모두 죽을 맛이오."

사라도 자크처럼, 콜로신트 옆에서 샤워를 했다. 그러고 나서 드디어 자리가 난 욕실로 가서 여전히 느릿느릿 머리를 빗고 옷을 입었다. 동작이 평소보다 더 신중하고 느렸던 건, 꼭 더위 때문만은 아니었다.

그렇게 한 시간이 흘렀다.

자크는 베란다 계단에 앉아 강물을 바라보며 담배를 피웠다. 그는 아이와 놀아 주지도 않고 이야기를 나누지도 않았다. 밤더위가 혹독했다. 자고 나면 진이 다 빠졌다. 머리가 무겁고 멍한 아침나절은 온통 밤에서 서서히 빠져나오는 시간으로 채워졌다. 사라는 마침내 단장을 끝내고 그의 곁에 와서 앉았다. 수영하러 갈 시간이 얼추 다 되었다. 바다를 누빌 것인지 말 것인지 선택해야 하는, 코르네유의 비극 같은 딜레마의 시간.

사라는 말했다.

"기분이 한결 나아졌어, 당신은?"

"그런대로, -그는 그녀를 바라보았다- 당신은 확실히 나아 보이는군."

"나아졌어. 지금은 전 세계가 더우니까."

"그럴지도 모르지. 그런데 당신이 괜찮아지니 이번엔 내가 이 동네가 지긋지긋한가 봐."

그는 담배를 집어 들어 불을 붙이고는 대수롭지 않다는 듯 물었다.

"그래서, 어땠어? 그 친구랑 무슨 얘길 나눴어?"

"이런저런 얘기."

"그리고 또?"

"그저 평소처럼 이런저런 잡다한 얘기라니까."

"그렇군."

"이상하네. 난 당신이 다이아나랑 무슨 얘기를 주고받았는지 물어볼 생각 따위는 못 해봤는데."

"다이아나랑은 다르지." 자크는 말하더니 살짝 주저하며 덧붙였다. "다이아나야 당신도 잘 알다시피, 내가 자백한 경우이고."

"알아."

자크는 돌연 기지개를 켰다.

"아, 여행하고 싶다. 여행하고 싶어. 어디론가 떠나 버렸으면."

"자백을 언제 했더라?"

자크는 놀라며 대답했다. "그게 뭐가 중요해?"

"알고는 있었는데, 그 정도까지일 줄은 몰랐거든."

"기억도 잘 안 나…. 2년쯤 됐나…. 그게 뭐가 중요해?"

"안 중요해. 난 이제 이곳을 떠나고 싶은 마음이 별로 없어."

"난 떠나고 싶어. 여행이 하고 싶다고. 여행이 하고 싶어서 죽을 지경이야. 2년 동안 아무 일도 안 하고 여행만 해 봤으면."

"호텔에서 사는 것도 멋질 거야. 그러고 보니 다이아나는 호텔에서 지낼 때가 많잖아."

"응, 모르긴 해도 다이아나에게는 그런 생활이 다른 여자들보다 필요할 거야."

"아마도. 나도 가끔은 그러고 싶어. 가령 요즘 같은 때. 그런데 왜 다른 여자들보다 다이아나한테 그게 더 필요하다고 하는 거야?"

"글쎄, 뭐랄까. 아마 다이아나가 다른 여자들보다 안정적인 삶에
더 거부 반응을 보이기 때문일 거야….'

"다이아나는 행운을 타고 났어. 굉장히 똑똑하잖아."

"그게 무슨 상관인데?"

"아무 상관 없지. 그냥 그렇다는 얘기야. 당신이 만난 여자들 중에
서 다이아나가 제일 똑똑해."

"그건 그럴 거야. 하지만 아무 의미 없어."

"애석하네."

"뭐가?"

"당신이 나한테 다이아나 얘기를 자백한 게."

"왜?"

"내가 지성을 발휘할 필요가 전혀 없게 됐으니까."

"오만이야. 게다가 지성 따위 난 아무래도 좋아."

"말은 늘 그렇게 하지. 하지만 난 점점 내가 지성을 쓸 일이 아무
것도 없을 것 같다는 생각이 들어."

"그렇지 않아. 그건 정말 최악의 오만이다."

"당신이 확신한다면 당신을 믿어야겠지."

"하여튼 당신은 사람 짜증나게 하는 데는 일가견이 있다니까."

자크는 일어나 부엌으로 가서 식은 커피 한 잔을 더 마시고 돌아

왔다. 그는 말했다.

"아무튼 난 여행을 떠나야겠어."

그는 강물을 바라보는 사라를 바라보았다. 아이는 햇볕을 받으며 놀고 있었다.

"여행 중엔 부족한 게 있어도 참고 넘길 수 있지."

"맞아. 호텔에선 아무도 없어도 상관없고."

"그래."

자크는 베란다 계단의 사라 곁에 앉았다.

"그 친구는 어때?"

"나도 아는 게 별로 없어. 말이 많은 편은 아니야."

"말이 많은 사람들하곤 다르겠네."

"좀 다르지."

"왠지는 몰라도 썩 호감 가는 친구는 아니야."

사라는 대답하지 않았다.

"난 조심성이 몸에 밴 사람들을 경계하거든. 그런데 그 사람한테서 뭔가 내가 싫어하는 귀족적인 절제 같은 게 느껴지더라고."

"당신은 누군가에게 호감을 느끼려면 꼭 얼마간의 시간이 필요하잖아."

"아마도."

"두고 봐, 당신도 곧 호감을 느끼게 될 테니."

"그렇게 생각해?"

"두고 보라니까."

그들은 입을 다물었다. 다이아나가 정원 문을 열었기 때문이다. 평소엔 그녀가 루디보다 늘 늦게 왔다. 오늘은 그녀가 자전거를 탔다.

"죽을 것 같아. 냉수 좀 줘. 빨리 오려고 루디 자전거를 탔더니만."

가정부가 물 한 잔을 가져왔다. 다이아나는 잔을 벌컥벌컥 비웠다. 그러고 나서 현관에 털썩 주저앉았다.

"더워 죽겠는 거 말고는 난 안녕해."

자크는 말했다. "치마 예쁘네."

"오래된 거야. -다이아나는 대답하고는 사라를 향해 말했다- 수영하러 갈까?"

자크가 대답했다. "가야지. 잠깐 기다려. 수영복 가지고 올게."

그는 집 안으로 사라졌다. 아이는 사라와 다이아나 옆의, 좀 전에 자크가 샤워했던 곳인 콜로신트 덩굴 그늘에서 놀기 시작했다. 다이아나는 아이를 얼렀다.

"참 잘하고 있네. 진흙 놀이는 좋은 거란다."

아이는 이미 진흙투성이였지만, 아이에게 햇빛보다 덜 해로운 건 아무것도 없었다. 햇빛은 모두를 질리게 만들었다.

사라는 말했다.

"우리 싸웠어."

"그런 거 같더라. -다이아나는 말하고 나서 덧붙였다- 왜?"

"별일 아닌 걸로."

사라는 말하며 희미하게 어깨를 으쓱했다. 다이아나는 사라한테서 시선을 떼지 않은 채 그녀 쪽으로 몸을 기울였다.

"정말 별거 아냐?"

"정말."

다이아나는 대화를 이어가려는 듯 물었다. "어젯밤엔 너만 일찍 들어갔더라."

"그 남자랑 같이 포도주 한잔하러 갔었어."

"오늘 아침에 호텔에서 마주쳤어. 사람이 서글서글하더라고."

"다른 사람들하고 좀 달라."

"그래. 다르더라."

가정부는 머리를 빗고 멀끔해져서 나타났다. 그녀는 말했다.

"오늘은 일정이 어떻게 되세요?"

두 여자는 웃음을 터트렸다. 사라는 대답했다. "모르겠어요."

가정부도 키들거리며 말했다. "그럼 저도 모르죠. 전들 도리가 있겠어요?"

다이아나는 대답했다. "생각해 볼게요."

자크가 수영복 가방을 들고서 나타났다.

"갈까?"

다이아나는 말했다. "루디도 곧 올 거야. 기다리자. 나랑 동시에 출발했거든."

자크는 말했다. "여기선 늘 모두가 모두를 기다리는구나. 기다리자, 기다리자고."

모두들 현관에 말없이 앉아 담배를 태웠다. 이윽고 루디가 울타리 너머로 모습을 드러냈다. 그는 갓 잡아 올린 생선처럼 펄떡거렸다. 그가 말했다.

"날씨가 기막히네."

자크는 대꾸했다. "지금 우리 놀리는 거지?"

"아! 천만에. 이 열기가 얼마나 기막혀. 길을 걷는데 내 피가 펄펄 끓는 소리가 들리더라? 실제로 들리더라니까. 자, 서두르라고. 그 친구가 우리를 푼타 비앙카까지 데리고 가려고 기다리고 있어. 오늘 날씨까지 제대로 받쳐 주네. 가서 그쪽 햇살을 느껴 보자고. 그 친구 배에 네 명, 줄리오 배에 여섯 명이 타면 될 거야. 괜찮지?"

다이아나는 대답했다. "괜찮지 않으면?"

사라는 고갯짓으로 동의를 표했다. 자크는 망설이다 말했다.

"난 집에서 조용히 책이나 읽었으면 하는데."

사라는 말했다. "이 날씨에 책은 무슨. 못 읽어. 잘 알면서."

가정부가 다시 나타났다.

"제가 자꾸 성가시게 해드리는 것 같지만, 오늘 일정이 어떻게 되는지 여쭤봐도 될까요?"

루디는 선언했다. "배 타고 바다에 나갈 거요. 오늘은 아이를 데리고 갈 수 없어요. 푼타 비앙카의 태양은 아이들한텐 너무 뜨거워서 쥐약이거든."

사라는 말했다. "점심으로 햄이랑 아티초크를 먹여요."

"햄은 뭐라고 해요?"

루디는 대답했다. "프로슈토. 훈제 햄은 프로슈토 코토."

가정부는 말했다. "제가 그런 어려운 말을 외울 거라고 생각하시는 건 아니죠?"

사라는 말했다. "그럼 뭐든 묻기 전에 종이를 가져 오든지요."

"오늘 아침 분위기가 왜 이리 험악한지 모르겠네요."

그녀는 종이를 가져왔고, 루디는 적어 주었다.

"그럼 지금은요? 아이를 어떻게 하실 거예요?"

사라는 대답했다. "해변에 데리고 가서 잘 지켜봐요."

가정부는 말했다. "미리 말씀드리지만 애가 물에 들어가 버리면 전 못 붙들어요. 전 물을 무서워서 아무것도 할 수 없거든요."

루디는 일어나 하녀를 응시했다.

"이야, 굉장한 아가씨일세. 난 정말 아가씨 같은 사람은 처음 봐요."

칭찬으로 착각한 가정부가 우쭐해하며 루디를 향해 히죽거렸다.

다이아나가 끼어들었다.

"더는 못 봐주겠네. 저 아가씨, 기차만 태우면 보낼 수 있잖아? 지금 끝을 내버려."

가정부는 흠칫하며 웃음을 거두고 다이아나를 바라보았다. 자크는 말했다.

"이봐요. 애를 데리고 바다에 가요. 만에 하나 애가 물에 빠지기라도 하는 날엔, 그땐 내가 돌아와서 아가씨를 물에 처넣어 버릴 테니까. 알아들어요?"

모두들 웃음을 터뜨렸다. 가정부까지 낄낄거렸다. 그녀는 아이에게 가더니 말했다.

"들었지? 나랑 가겠니? -아이는 순순히 따랐다- 집에 들어가서 옷 입고 출발하자."

루디는 말했다. "우리도 출발해야 돼. 지나가 점심 식사 전에 노인네들을 보러 가고 싶어하거든."

다이아나는 말했다. "아! 맞다. 노인네들이 아직 있었지."

자크는 말했다. "난 아무래도 안 가는 게 좋겠어. 어쨌든 책을 읽어 볼래."

루디는 설득했다. "암벽이 절경이야. 가자. 상상도 못할 정도로 아름다워. 암벽들이 흰색인데, 네가 일평생 한 번도 보지 못한 흰색일 거야, 장담해."

사라도 거들었다. "같이 가자."

루디와 다이아나는 출발했다. 자크는 수영복 가방을 집어 들었고 사라와 함께 루디와 다이아나를 뒤따랐다.

자크는 말했다. "당신도 내가 갔으면 하는 거야?"

"응."

"나도 그래. 당신이 없으면 나도 그 자리가 시들시들해."

그들은 마주보며 웃음을 터뜨렸다. 사라는 말했다.

"그러니 어쩌겠어?"

루디와 다이아나는 별장 입구에서 부부를 기다렸다. 해가 그리 뜨겁지 않았다. 짙은 안개가 하늘을 뒤덮었다. 강물은 강철처럼 번뜩이는 빛을 반사하고 있었다. 아침나절엔 절대로 바람이 부는 법이 없었다. 산불은 크게 번지지 않았지만 대기 중에 희미한 탄내가 감돌았다. 루디와 자크는 앞장서서 걸었다.

사라는 말했다. "가정부가 아이를 때릴 것만 같아. 물에 빠져도 손놓고 나 몰라라 할 것만 같고."

다이아나는 대답했다. "아침에 해변에 보는 눈이 얼마나 많은데. 아무 위험도 없어."

"아이 생각을 덜 하는 습관을 들여야겠어."

다이아나는 자크를 가리키며 말했다. "왠지는 몰라도 난 가끔은 저 친구한테보다 너한테 더 깊은 우정을 느끼기도 해."

"아니. 그렇지 않을걸."

"넌 알 수 없을 거야."

태양이 짙은 안개 층을 뚫고 다시 나타나 잠시 반짝거렸다.

사라는 말했다. "알아. 네가 내 문제로 자크와 한바탕한 것도, 날 위해서라는 걸 안다고."

다이아나는 대답하지 않았다. 그녀는 우뚝 멈춰 서더니 말했다. "아! 비라도 죽죽 쏟아졌으면."

사라는 말했다. "곧 쏟아질 거야. 자, 가자." 자크와 루디는 뒤를 돌아보았다.

"더워 죽을 것 같아." 사라가 그들에게 외쳤다.

자크는 다이아나를 다소 집요하게 바라보았고, 이윽고 그들은 다시 길을 걸었다. 사라는 말했다.

"두고 봐. 우리가 기대도 하지 않던 어느 날, 비는 내릴 테니까."

"우린 늘 뭔가에 대해 생각하게 돼있어. 난 더는 그리 젊지 않고, 남자들도 아쉬움 없이 만나 봤어."

"알아. 하지만 넌 늘 다른 이들의 이야기에 관심을 보이고 잘 들어 주잖아."

"아! 다른 사람들 얘기라면 신물이 나."

"하지만 너도 그 사람들과 똑같이 이야기가 있잖아. 그 사람들도 너보다 더하지도 덜하지도 않은 자기들만의 이야기가 있는 것뿐이라고."

"그렇지 않아. 혼자 살면 이야기를 갖기 어려워. 너만 해도 무슨 얘기를 해도 결국은 자크와 관련된 얘기로 귀결되잖아, 그건 어쩔 수 없는 거라고."

"이야기는 그런 게 아냐, 하나하나의 사건들이 아니라고."

"하루 만에 갑자기 심오해졌네. 남들하고 똑같이 하룻밤 자고 난 것 치고는 말이야."

"남들과 다를 바 없는 하룻밤을 보낸 거 맞거든."

"확실해?"

"확실해."

두 사람은 부두에 도착했다. 자크와 루디가 기다리고 있었다. 다이아나는 조용히 말했다.

"이대로 계속 비가 안 오면, 우리 모두 지쳐 죽고 말 거야."

루디는 말했다. "천만에. 당장은 그럴 것 같아도, 또 그렇지도 않아."

자크도 한마디했다. "어쨌든 이건 기록적인 더위야."

루디는 주장을 폈다. "그건 유럽 전역이 마찬가지야. 파리는 43도, 모데나는 46도, 베를린도 파리처럼 43도."

사라는 말했다. "그건 이유가 안 돼."

자크는 빙긋 웃으며 말했다. 그는 기분이 나아졌다. "당신은 더위를 개인적 운명으로 치부하려는 경향이 있어."

다이아나가 끼어들었다. "나도 이젠 그런 기분이 드는걸. 혹시 여성적 특징인 건가."

루디는 말했다. "어쨌든 혁명 같은 이 더위가 아름답지 않아?"

사라는 말했다. "저기들 온다."

다른 이들이 호텔에서 오고 있었다. 그들은 준비됐다고 외치며 보트위로 서둘러 뛰어올랐다. 자크는 남자의 배에 타지 않으려 했다. 다이아나와 사라는 남자의 배에 탔고 루디와 지나도 그들을 뒤따랐다. 다른 배는 마을 청년이 조종하는 모터보트였다. 그 안에는 호텔 투숙객 여덟 명이 타고 있었다. 남자는 다이아나와 지나에게 인사한 뒤, 사라에게 인사했다. 다이아나는 남자를 바라보았지만 그의 시선에서 특별한 무언가를 꿰뚫어 보지는 못했다. 그는 뱃머리 모터 옆에 앉았다. 루디는 남자 곁으로 갔다. 다이아나는 배의 구석진 곳에 자리잡았고, 사라는 지나와 함께 뒷자리에 앉았다. 모두들 배에 오르기 전에 수영복을 입었고, 지나가 방수 천 가방에 그들의 옷가지를 챙겨 담았다. 그들은 강 위를 미끄러지기 시작했다. 마을 청년의 배가 그들을 추월했지만 그들이 금세 다시 따라잡았다. 남자는 속력을 냈다. 시원한 바람을 맞기 위해 출발하자마자 씽씽 달렸다. 루디는 만족스런 웃음을 터뜨렸다. 다이아나는 환호성을 질렀고 지나는 두 눈을 감고서 바람에 몸을 맡겼다. 사라는 지나 곁에서 발을 뱃전에 단단히 고정시킨 채 바람이 부는 방향을 따라 누웠다. 태양빛 속에서 생기를 잃은 마을 풍경이 점점 멀어졌다. 둑을 따라 늘어선 아이들이 배가 지나가는 것을 보며 환호성을 질러댔다. 몇몇 아이들은 흥에 겨워 강물에 첨벙 뛰어들었다. 루디는 아이들의 이름을 목청껏 하나하나 부르며 너털웃음을 터뜨렸다. 그들은 이내 바다로 진입했다. 사라는 모터보트의 뱃머리에 서서 계면쩍은 표정으로 그들을 바라보고 있는 자크를 보았다. 이윽고 방파제가 나왔다. 남자는 속력을 거의 늦추지 않은 채로 크고 완벽한 원을 그리며 커브를 틀었다. 지나가 다이아나 쪽으로 밀려 넘어졌고, 그녀는 마치 오래전부터 알던 사람이라도 되는 듯 남자에게 악다구니를 퍼부었다. 이윽고 배는 작은 해변 앞을 지났다. 사라는 눈에 불을 켜고서 해변 곳곳을 살폈지만 아이도 가정부도 보이지 않았다. 그녀는 곧 그들을 잊었다. 작은 해변을 지나자마자 암벽들이 줄줄이 모습을 드러냈다. 암벽들은 처음엔 낮았다가 푼타 비앙카에 이를 때까지 점점 높아져 갔다. 이곳 암벽들만 하더라도 무화과나무와 소귀나무들로 뒤덮였고, 소나무나 바람에 잎이 다 떨어져 나가 앙상한 가지만 남은 작은 주목들도 뜨문뜨문 볼 수 있었다. 이 부근에선 암벽들을 따라가는 동안 높은 파도가 꾸준히 일어 배가 살랑거렸다. 남자는 모터를 조종하면서 동시에 밧줄로 연결

된 노까지 저었다. 그는 해변을 떠나 첫 번째 작은 만에 이를 때까지 한 번도 흐트러지지 않고 암벽과 일정한 거리를 유지했다. 만에 닿자 그는 루디에게 외쳤다.

"바다 속을 볼 수 있도록 배를 암벽 가까이 붙일게요!"

그는 서서히 속력을 늦추며 암벽에 접근했다. 암벽들은 좀 전의 암벽들보다 확연히 척박했으며 100여 미터 위까지 치솟아 있었다. 그들과 암벽 사이 거리는 이제 10여 미터로 좁혀졌다. 모두들 고개를 숙여 바다 속을 들여다보았다. 바다는 선체가 그늘을 만드는 곳에서만 보였으므로 차례로 돌아가면서 보아야 했다. 사라는 루디 다음으로 바다 밑을 들여다보았다. 바다 밑바닥이 매우 가깝게 느껴졌고, 녹색의 빛살 줄무늬가 군데군데 그려진 달빛처럼 은은하게 반짝이고 있었다. 남자는 루디에게 보트의 운전대를 잡고 있어 보라며, 그리 어렵지 않을 것이니 그동안 자기는 키를 돌리겠노라고 말했다. 루디는 다소 긴장하며 운전대를 잡았다. 남자는 배의 뒷자리, 사라 옆으로 건너갔다. 루디는 책임감으로 굳어 버린 채 앞만 바라보며 배를 조종했다. 지나와 다이아나는 바다 밑을 보기 위해 고개를 숙이고 있었다. "안녕." 남자는 인사했다. 사라는 대답하지 않았다. 그는 짐칸 상자로 허리를 굽혀 수경을 천천히 꺼냈다. 그의 얼굴이 흔들거리는 사라의 발끝을 스쳤고, 그는 그 발끝에 키스했다. 아무도 보지 못했고, 볼 수도 없었다. 그는 뱃머리로 가서 루디에게 운전대를 돌려받았다. 그리고 지나에게 수경을 권했다. 하지만 지나는 암벽이 이토록 가까이에 있는데 어떻게 바다에 뛰어들 엄두를 내느냐며, 파도 때문에 다시 배에 못 오를 수도 있다고 비명을 질렀다. 남자는 그 이상 권하지 않았다. 그는 속도를 좀더 올린 뒤, 위험 지역을 지나고 있어서 속도를 올릴 수밖에 없다고 여전히 고함치듯 -바로 가까이에 있는 암벽들에 가닿은 그의 목소리가 놀라우리만치 기괴한 소리가 되어 메아리쳤다- 설명했다. 파도가 높고 거세졌다. 그들은 곶을 통과했다. 배는 나름의 방식으로 파도에 흠집을 내는가 하면 곤충처럼 이리저리 떠밀리면서도 계속해서 해안을 향해 나아갔다. 한순간만 방심해도 암벽으로 밀려가 부딪칠 수 있었다. 마침내 작은 만이 모습을 드러냈다. 파도는 보다 잔잔했고, 암벽은 다시 시네라리아 꽃들과 소귀나무들로 무성했다. 만을 이루고 있는 암벽 중 하나가 바다에 꽤 거대한 그늘을 드리웠다. 남자는 그 그늘을 가로질러 암벽들을 따라 항해하기로 결정했다. 그늘 안으로 진입하자 바다 밑이 훤히 보였다. 사라는 비명을 질렀다. 남자는 돌아보며 빙긋 웃었지만 그늘을 벗어나지는 않았다. 그는 바다 밑을 계속해서 유심히 들여다보라고 말했다.

그것은 세상의 이면이었다. 고요하게 반짝이는 밤, 침묵으로 얼어붙은 고요한 해초들이 무성하게 들어앉은 밤이 그들을 떠받치고 있었다. 물고기들의 행렬이 불가해하며 손에 잡히지 않는 칠흑 같은 밤의 공간에 줄무늬를 그렸다. 군데군데 삶이 멈춘 곳들이 보였다. 헐벗고 텅 빈 심연들이 드러났다. 그곳으로부터 푸른 그림자가, 깊이를 가늠할 수 없는 순수한 그림자가 감미로이 떠올랐고, 그것은 명백한 죽음의 광경이어서 도리어 생생한 삶을 웅변했다. 하지만 다이아나가 어서 여기를 벗어나야 한다고 소리쳤다.

"우리가 바다의 심연을 견딜 수 있는 사람들이 아니라는 걸 모르시겠어요?"

남자는 대답했다. "그건 누구나 마찬가지예요."

그는 웃으며 출발할 때 보여주지 않았던 집요한 눈길로 사라를 바라보았다. 바다의 심연을 바라보며 갑자기 대담해진 듯한 태도였다.

배는 암벽에서 멀어지며 만의 그늘에서 빠져나왔다. 그들이 넓은 바다로 나가기 위해 그곳을 빠져나왔을 때, 석재를 싣고서 강독으로 향하는 뗏목과 마주쳤다. 뗏목은 느릿느릿 전진하는 통에 움직이지 않는 것처럼 보였다. 석재 위에 앉거나 드러누운 노동자들이 그 떠다니는 섬의 영원 위에서 휴식하고 있었다. 그들은 노동자들에게 큰 소리로 인사하며 바다며 더위에 대한 말들을 한 마디씩 던졌다. 남자는 암벽에서 점점 멀어지다가 100여 미터 떨어진 지점에 이르자 돌연, 속도를 현저히 올리더니 곧장 푼타 비앙카를 향해 질주했다. 그때쯤 마을 청년이 운전하는 모터보트가 그들을 거의 따라잡았다. 사라는 털털거리는 모터보트 앞머리에 상반신을 벗은 채 서 있는 자크를 볼 수 있었다. 그는 마치 가련한 어부가 자신의 운명을 향해 미소를 짓듯, 그녀에게 미소를 지어 보였다. 그녀는 웃음을 터뜨렸고, 그를 향해 미소를 지어 보이며 손을 흔들었다. 그도 같은 동작으로 응답했다. 남자는 속력을 끌어올렸고 자크가 탄 모터보트는 다시 뒤처졌다. 10분이 채 되기도 전에 그들은 목적지에 이르렀다.

푼타 비앙카 절벽은 만에 돌출된 암벽들보다 더 높이 솟았다. 그것은 풀 한 포기 없이 맨숭맨숭한 하얀 대리석이었다. 그 절벽의 한 면이 바다로 무너져 내렸고, 물속에 조각조각 박혀 반짝거렸다. 해변은 바로 이 대리석들이 떨어져 내리며 팬 곳에 형성되었다. 모래사장이 아니라 자갈밭이었고, 역시나 반짝거렸다. 이곳에선 반사광이 하도 눈부셔서 미간을 찌푸리지 않고는 절벽을 바라볼 수 없었다. 루디와 남자는 물속에 뛰어들어 배를 해변까지 밀었다. 다이아나와 사라와 지나도 그들의 부담을 덜어주고자 배에서 내렸다. 여자들은 즉시 바다에 입수했다. 배가 멈추자 무지막지한 더위로 인해 바로 물속에 뛰어들지 않을 재간이 없었다. 다이아나와 사라는 배를 따라 헤엄치며 해변에 이르렀다. 마호가니 선체가 만든 그늘이 하얀 자갈들을 붉게 물들였다. 남자와 루디는 배를 정박시키고 나자, 전력을 다해 헤엄쳐 바다 한가운데로 나아갔다. 지나도 마찬가지였다. 다이아나는 사라 곁에 남아 물 위에 몸을 뉘었다. 그곳엔 더 이상 해초는 없었고 발을 아프게 하는 자갈들뿐이었다. 물은 독주처럼 맑고도 강렬했다. 자크가 탄 모터보트도 도착했다. 사람들은 그 배를 남자의 배 옆으로 밀어 올렸다. 루디와 남자가 그들을 도우러 왔다. 배를 정박시키고 나자 이번엔 자크가 물에 뛰어들 차례였다. 그는 바다 멀리까지 헤엄쳐 나갔다가 돌아와 사라와 다이아나 곁에 누웠다. 여자들은 그에게 암벽에 아주 가깝게 다가가 바다 밑을 들여다보았는데 환상적으로 아름다웠노라고 말했다. 자크는 곧바로 몸을 일으키더니 남자에게 수경을 빌려 달라고 소리쳤다. 남자는 수경이 있는 배 안을 가리켰고 자크는 곧장 수경을 찾으러 갔다. 수경은 두 개였다. 그는 수경 두 개를 들어 보이며 누가 자기와 함께 가겠느냐고 물었다. 다이아나는 지금 이대로 편안하고 나른한 기분이라며 거절했다. 지나가 지원했다.

"내가 같이 갈게."

모두들 바다 여기저기에 넓게 흩어졌다. 자크와 지나는 같은 동작으로 나란히 멀어졌다. 다이아나는 말했다.

"저 봐. 지나는 바다를 좋아해. 바다에만 들어가면 소녀가 돼 버리거든."

"넌 수영 안 해?"

"오늘은 별로 생각이 없긴 한데. 어쨌든 가 보자. 지나는 매일 헤 엄쳐도 질리질 않는데, 난 아니거든."

"나한텐 둘 다 해당 사항 없는 얘기다. 애석하게도."

"어젯밤에 뭐했어?"

"다른 사람들 얘기는 신물이 난다며 뭘 자꾸 물어봐."

"꼭 알고 싶어서라기보다는, 그저 네가 나한테 얘기해 줬으면 하 는 거야."

"그러는 넌. 넌 뭐했어?"

"자크랑 헤엄쳤어. 수영이 하고 싶었고, 자크가 함께 가 줬어. 너 도 알잖아."

"난 아는 게 별로 없어. 하지만 자크한테 들은 건 사실이야."

"넌 항상 뭉그적대면서 결국엔 말을 안 하는데, 그런 태도는 좀 아니꼽기도 해…."

"분명히 말하는데 난 자크한테 아무것도 묻지 않았어. 그냥 자크 가 먼저 작은 해변에서 너랑 수영했다고 한 것뿐이야."

"내가 같이 가자고 했어. 게임이 일찍 끝났거든."

"그것도 얘기하더라."

다이아나는 부드럽게 말했다. "거봐. 사라. 난 너희 부부가 언젠 가 그렇게 되리라는 걸 오래전부터 알고 있었어."

"넌 아무것도 몰라."

다이아나는 헤엄쳐 가 버렸다. 그녀는 수영에 능숙했다. 사라는 자기도 수영을 좀 해야겠다고 생각했다. 그녀는 두세 차례 팔과 다리를 휘저어 사람들 가까이 가려고 했으나 바닥이 금세 깊어 지는 바람에 왈칵 겁이 나서 포기했다. 그녀는 원래 있던 자리로 되돌아왔고, 해변과 매우 가까운 곳에 혼자 있었다. 남자가 그녀 곁으로 조용히, 다가갔다. 다이아나가 가 버린 즉시 그녀 쪽으로 향하던 터였다. 그도 사라 곁으로 와서 바다에 누웠다. 자크는 멀 리서 바다 밑을 들여다보고 있었다.

남자는 말했다. "저 바위까지 함께 가자."

바위는 12미터 앞에 있었는데, 제법 넓고 평평했다.

사라는 말했다. "난 발이 닿지 않는 곳은 무서워."

"발 닿아. 내가 당신 옆에서 걸을게. 그럼 발이 닿는다는 걸 알 수 있잖아. 자, 당신은 수영을 해."

"왜 그냥 여기 있지 않고?"

"글쎄. 당신이 헤엄치는 걸 보고 싶어서? 당신이랑 뭔가 하고 싶 어서?"

사라는 그를 따랐다. 그녀는 수영에 열중했다. 그는 미소를 띤 채 그녀가 헤엄치는 모습을 바라보았다. 그녀가 앞으로 나아갈수록 그도 점차로 물속에 잠겨 들어갔다. 그는 말했다.

"날 봐. 서두를 필요 없어. 바위에 거의 다 왔어."

바위에 이르자 이제는 남자의 얼굴만 마치 잘린 것처럼 수면 위로 솟아 있었다. 그의 얼굴이 그녀의 얼굴과 매우, 정말 매우 가까웠다. 바위는 매끄러웠고 측면에 앉기 좋은 평평한 곳이 있었다. 그는 그녀가 그곳에 올라갈 수 있도록 그녀를 들어올렸다. 그녀로서는 무리하게 헤엄쳐 온 셈이라 완전히 지쳐 버렸다. 그는 발만 물에 담근 채 그녀 곁에 앉았다.

"안녕." 남자는 인사했다.

"가슴이 두근거려." 그녀는 말한 뒤 미소를 지어 보였다. "안녕."

그들은 멀리 바다 쪽을 바라보았다. 다이아나와 루디가 함께 있었다. 왼쪽엔 대부분의 호텔 투숙객들이 몰려 있었고, 그들 무리와 루디 사이에 자크와 지나가 사람들에게서 고개를 돌린 채 죽은 사람처럼 바다에 누워 미동도 하지 않았다.

사라는 말했다. "난 당신과 사랑을 나누었다는 사실이 맘에 들어."

그는 그녀 쪽으로 몸을 기울였다.

"당신을 갖고 싶어. 여기서. 당장."

그녀는 미소 지었지만, 그는 아니었다.

그녀는 말했다. "담배 한 대 피울 수 있으면…"

"아무래도 난 사랑에 빠진 것 같아." 그는 다시 한 번 저 멀리 고요한 수평선을 바라보았다.

"어쩔 거야?" 사라는 웃으며 말했다.

그들은 한동안 아무 말도 하지 않았다. 이윽고 그가 말했다.

"담배 피우고 싶으면 갖다 줄게. 난 담배 피우면서 수영할 수 있거든. 갖다 줄까?"

"너무 번거롭잖아."

"당신이 원하는 걸 해줄 수 있으면 내겐 그게 기쁨이야."

"그럼 갖다 줘. 하지만 그 전에 나한테 물 좀 뿌려 주고 가. 햇볕이 뜨거워서 못 견디겠어."

그는 두 손 가득 물을 모아 그녀에게 끼었었다. 그녀는 낮은 비명을 질렀다. 물이 상대적으로 얼음장 같았기 때문이다. 수평선은 변함없이 완벽하게 고요했다.

그는 또다시 말했다. "당신을 원해."

"담배나 갖다 줘."

그는 물에 뛰어들었다. 빨려들 듯 물속으로 들어가 밖으로 나오지 않은 채 몇 미터씩 전진하다가 다시 나오기를 반복하는 그를 그녀는 괴생명체 보듯 바라보았다. 바위에 가려 보이지 않던 그는 금세 얼굴을 내민 채 입에 담배를 물고서 돌아왔다. 그는 말했다. "받아."

그녀는 그의 입에서 천천히 담배를 빼내었다. 그는 물기를 뚝뚝 떨어뜨리며 돌아와 그녀 곁에 앉았다. 그가 말했다.

"당신과 한 번 더 자야겠어, 꼭."

"그 얘기는 더 이상 하지 않는 게 좋을 것 같아."

"당신과 또 사랑을 나누고 싶어. 그러고 싶어."

"더워. 물을 더 뿌려 줘."

그는 좀 전과 같이 그녀에게 물을 끼얹더니, 이번에는 그녀를 슬쩍, 도둑처럼 쓰다듬었다. 하지만 수평선은 변함없이 파랗고 고요했다.

그는 말했다. "대체 당신에게 왜 이렇게 빠져드는 걸까?"

"난 모르지." 그녀는 웃음을 터뜨렸다.

"나도 몰라."

그녀는 대답 없이 그를 바라보았다. 그도 그 이상 더 묻지 않았다.

"다이아나에게 우리 얘기 했어?"

그녀는 아니라는 뜻으로 고개를 저었다.

"했겠지. 확실해. 아니라고? 아니, 다이아나에게도 말하지 않았 단 말이야?"

"다이아나는 모든 거에 시들해. 심지어 이런… 얘기조차도."

자크와 지나가 여전히 물위에 누운 자세로 그들을 향해 헤엄쳐 왔다. 사라는 말했다.

"좀 떨어져 앉아."

그는 선언했다. "오늘밤에 당신을 만날 거야."

"아니. 오늘밤엔 당신 배를 훔쳐야 돼서 안 돼. 우리가 당신 배를 슬쩍해서 바다를 한 바퀴 돌기로 했거든."

그는 믿기지 않는다는 표정으로 그녀를 바라보다가 낄낄거리기 시작했다.

"아주 훔쳐가는 거야?"

"아니. 그냥 당신을 골려 먹으려는 거야. 그 김에 바다에도 한 번 나가보려는 거고."

"그렇겠지." 그는 생각했다. "그런데 배를 조종할 줄 아는 사람도 없잖아."

그는 자기 보트에 대해 생각했고, 얼마 동안은 오직 그 생각뿐인 것 같았다.

"내가 배를 조종해서 당신과 친구들을 데리고 나갔다 돌아올 수도 있어. 아닌가?"

"당신한테서 배를 훔친다는 게 중요한 거니까 그건 안 되지. 당신도 알잖아. 휴가여행의 일탈 같은 거."

"아! 그럼 훔쳐."

"우리는 다들 당신이 그 배에 너무 집착한다고 생각하거든."

돌연 그가 그녀의 발을 잡더니 꽉 움켜쥐었다.

"그럼 어젯밤에 당신이 날… 당신 집에 들인 것도 그 때문이었어?"

그녀는 웃음을 터뜨렸다.

"설령 그렇다 해도, 상관없어." 그는 멀리 수평선에 시선을 둔 채 말했다.

그녀는 더는 대답하지 않았다. 그는 문득 그녀의 발을 손에서 놓았다. 그리고 말했다.

"당신도 날 원하니까. 그러니까 상관없어."

"밤엔 배를 어디에 둬?"

"루디 집 옆에 있는 섬에."

"왜 거기에 감춰두는 거야?"

"몰라. 당신들을 약 올리려고?"

"그만 가자."

그들은 그러고도 30분쯤 더 바다에 머물렀다. 사라는 해변으로 돌아왔다. 자크는 그녀에게 배영을 연습시켰다. 이윽고 그녀는 다시 해변으로 돌아왔다. 다른 이들도 해변으로 돌아왔다. 잠시 후 그들은 한 사람씩 돌아가며, 혹은 무리를 지어 물에 들어갔고, 그렇게 물에 들어갔다 나오기를 반복했다. 마침내 돌아갈 시간이 됐고 지나가 모두를 불렀다. 돌아오는 길은 조용했다. 사라는 마을 청년의 배에 탔고, 자크는 그녀에게 자신이 본 바다 밑의 비경을 묘사하며 함께 보았더라면 좋았을 거라고, 그녀가 이런저런 터무니없는 공포증을, 이번 경우 바다 공포증을 갖고 있는 것이 아쉽다고 말했다. 그는 극복하도록 노력해 보라고 주문했고, 그녀는 약속했다. 그들은 배의 앞쪽에 누워 돌아오는 시간 내내 그들 개인과 직접적인 연관이 없는 이런저런 것들에 대해 이야기를 나누었다.

그들이 돌아오자 정오가 조금 지나 있었다. 지나는 노인들에게 갖다 주기로 약속한 토마토 파르시를 가지러 집으로 갔다. 아이는 가정부와 함께 집에 돌아와 있었다. 그들은 남자까지 포함해서 산속의 하얀 집으로 향했고, 노인들을 만나기 위해 매일 이 가파른 길을 걸어 올라가며 똑같은 열의에 사로잡히곤 했다. 그들 중 누구도, 그곳에 가는 것을 단 한 번도 쓸데없는 짓이라 여기는 이는 없었다. 바람은 여전히 불어오지 않았고, 숲엔 탄내가 감돌았다. 하지만 하늘을 가린 안개가 서서히 찢겨 나가며, 가장 높은 곳의 태양은 그 틈새로 표표히 빛을 내뿜었다. 불은 태양에 가려 보이지도 않았지만 불의 진원지인 빽빽한 소나무 숲에서 시커멓고 짙은 연기가 뭉게뭉게 피어올라 동쪽에 요새처럼 형성된 작은 마을을 떨게 했다. 사라는, 남자와 다이아나 뒤에서 걸었다. 루디는 손에 든 토마토 파르시를 저주하면서 자크 옆에서 걸었다. 지나는 그룹의 맨 선두에 서서 홀로 길을 열어 나갔다. 더위는 점점 심해져서 매 순간 최고로 덥다는 기분이 들었다.

자크는 말했다. "더 더워진 것 같아. 아니면 탄내 때문에 그렇게 느껴지는 걸 수도 있고. 그래도 오늘 아침 수영은 환상적이었어."
다이아나는 말했다. "여기 온 이후로 최고였지."

루디는 말했다. "대리석 절벽 위로 빛나던 태양 봤어? 거의 그리
스에서 보던 태양이야. 충분히 취할 만하지. 그러니 작작들 투덜
대라고."

사라는 물었다. "누가 투덜대는데?"

루디는 계속해서 말했다. "더위를 이해하고, 가만 내버려두고, 더
위의 얘기도 들어줘봐. 그럼 마침내 사랑하게 될 테니까."

그는 남자를 돌아보았다.

"여행을 많이 다녔어요?"

"꽤 했죠."

"이런 태양은 아무데서나 볼 수 없죠. 안 그래요?"

"네, 어디에도 없죠."

"다른 데는 덜 하얗고 덜 뽀송뽀송해요. 안 그래요?"

"네, 잘은 몰라도 냄새도 달라요. 이런 냄새가 안 나죠." 그는 덧붙
였다. "그리고 우리를 이토록 행복하게 해 주지도 않죠."

자크는 몸을 돌려 남자를 바라보았다. 루디는 잠깐 사이를 두었
다가 말했다.

"이해해요."

사라는 말했다. "내가 아는 곳의 태양도 다른 곳과 달라. 비를 가

득 머금은 잿빛 태양, 하늘은 늘 잔뜩 찌푸려 있고."

자크는 키들거리며 말했다. "뭔 태양만 그리 수두룩해, 종류도 많네."

식료품상도 여전히 자리를 지켰다. 그는 떠들었고, 노부부는 그의 말을 경청했다. 고개를 주억거리며 동의를 표하기도 했다. 그들 셋은 비누상자를 앞에 두고서 길과 평행을 이루는 벽에 나란히 앉아 있었다. 벽에는 낙서가 가득했다. 마구 겹쳐진 이름들과 정치적 구호들. 가장 최근 날짜가 쓰인 구호는 휴가객들에게 외치는 말이었다. '신나게 떠들어 대지 말라. 5만 명에 달하는 이 지역의 실업자들을 기억하라.' 하지만 식료품상, 그는 자기 얘기를 떠들어 대고 있었다. 다른 쪽 벽면 그늘에선 무위에 지친 두 세관원이 총을 둘러멘 채, 입을 벌리고 잠들어 있었다.

식료품상은 말했다. "결국 양가의 승낙이 떨어졌고, 결혼식을 올렸죠. 저는 무기고 일을 그만두고 바로 식료품점을 매입했어요. 그 사람이 식료품점을 좋아하고 장사도 좋아했거든요. 전 아니었지만, 그 사람을 사랑했으니 아무러면 어떠랴 싶었죠. 그런데 그 사람은 또 그게 아니었죠. 저와 달리 절 사랑하지 않았어요. 딱한 여편네 같으니."

지나는 인사했다. "안녕하세요. 여기 고기를 뺀 토마토 파르시 가져왔어요. 날이 너무 더워서 고기는 생략하는 게 나을 것 같더라고요."

루디는 말했다. "왜요. 아주머니도 아저씨를 사랑했겠죠."

식료품상은 대답했다. "아니. 그 사람은 이십 년간 단 한 시간도 식료품점을 벗어나 본 적이 없어. 처음엔 바다가 지척이니 나는 노상 배를 타고 나가 콧바람이 쐬고 싶어 안달이었지. 그랬더니 미쳤냐며 내 청을 싹둑 자르더라고. 그 뒤로도 내가 2년을 더 졸랐어. 2년이 지나고 나니 나도 더 이상 얘기도 꺼내지 않게 되었고."

그들은 모두 커다란 벽면의 그늘에 앉았다. 노파가 물러나며 자리를 조금 내주었다. 사라는 남자와 루디 사이에 앉았다. 자크는 맞은편 작은 벽면의 그늘에 앉았다.

남자는 말했다. "그럼 이제 배 타고 바다에 나갈 생각은 아예 안 하시는 겁니까?"

식료품상은 대답했다. "그렇소. 그 사람하고 살면서 나도 인생의 낙을 잃었소. 이제 남은 건 쓸쓸함뿐이라오."

루디가 끼어들었다. "오! 안 돼요. 그건 틀린 생각이에요."

식료품상은 대답했다. "아니. 맞아. 20년 동안 변하지 않고 한결같은 여편네랑 살면 온전할 수가 없는 법이야. 영원히 만신창이가 되는 거라고."

지나는 말했다. "실은 고기를 넣을 수도 있었는데, 적당한 고기가 없더라고요."

"같이 산 지 5년이 지나니까 더는 날 이름으로 부르지도 않더이다…. 내 호칭은 따로 있었죠. 식료품점에 오는 마을 손님 대다수가, 특히 어린애들이 나를 그 사람이 부르듯 불렀소. 하지만 그또한 아무러면 어떻겠소. 희한한 건 내가 아무한테도 주먹을 날리지 않았다는 거요. 마음만 먹으면 마을 전체의 얼굴을 날려 버릴 수도 있었는데, 절대 그러지 않았거든요."

노파의 남편이 말했다. "나 같으면 그러고도 남았지."

노파도 동의의 표시로 불만스런 신음을 흘렸다. 그녀는 식료품상의 말을 경청했고 그러느라 잠시 자신의 불행을 잊었다. 이날만큼은 그녀는 졸린 것 같지 않았다.

식료품상은 계속해서 말했다. "또 희한한 건, 정말이지 희한한데, 내가 그 사람과 헤어질 생각을 단 한 번도 하지 않았다는 거예요. 그런 생각은 아예 머릿속에 떠올린 적조차 없었죠."

잠깐 동안 침묵이 흘렀다. 사람들은 서로를 흘깃거렸다. 남자는 호주머니에서 담뱃갑을 꺼내어 좌중에 죽 돌렸다. 사라만이 한 대를 꺼내 들었다. 자크는 당혹스런 표정으로 남자를 보았다. 남자가 태양에 대한 견해를 밝힌 이후로 그는 남자를 꽤나 힐끔거렸다.

다이아나는 물었다. "그럼 이제껏 누구를 한 번도 때려 본 적도 없다는 거예요?"

식료품상은 대답했다. "난 인생에 원칙이 몇 가지 있고 그것들을 한결같이, 나아가 더욱 철저하게 지켜 왔어요. 그중 한 가지가 무력은 친절을 베풀 때만 사용하고 다른 상황에서는 절대 사용하지 않는다는 거요. 말하자면 최고의 선행을 베풀기 위해 내 힘을 사용할 기회를 기다려 온 셈이죠. 아직까지는 그럴 기회가 전혀 없었소. 내가 오직 나만을 위해 그 힘을 사용한다면 스스로가 역겨울 거요."

루디는 웃으며 말했다. "허! 말이야 무슨 말은 못하겠냐 싶지만, 그래도 그렇게 성냥개비마냥 비쩍 마른 양반이 할 말은 아닌 것 같네요."

루디는 매우 정겹게 웃었고, 거기엔 어떤 악의도 없었다. 식료품상은 따라 웃었지만, 서글픈 웃음이었다.

루디는 계속해서 말했다. "이왕 말이 나왔으니 다 얘기할게요. 마을 사람들 얼굴을 죄다 날려 버린다는 얘기만 해도 그래요. 젊었을 땐 힘깨나 썼을 수 있겠지만 그래도 혼자서 마을 사람 전체의 얼굴을 날려 버릴 수도 있다는 건 좀…."

식료품상은 말했다. "유도를 했다고 하면, 생각이 좀 달라지려나? 무기고를 그만뒀을 때 난 그 지역 유도 챔피언이었거든. 그래. 물론 당시에 나 말고도 이 새로운 무술을 익힌 친구들이 있긴 했어요. 그래도 최고는 나였지. 이 마을의 덜 떨어진 인간들 따위, 마을 전체가 떼거리로 덤벼도 내가 뼈도 못 추리게 할 수 있다고."

그는 손을 좍 펴서 목 앞에 수평으로 세우는 유도 자세를 해 보였다.

루디는 말했다. "그럼 정말 나이를 먹어서 이렇게 쪼그라든 건가 보네요."

자크가 끼어들었다. "난 저 양반 말을 믿어."

지나도 한마디했다. "무엇보다 아저씨 스스로 그렇게 믿잖아. 중요한 건 그거 아냐?"

식료품상은 말했다. "맞아. 난 지난 20년 동안 내 유도 실력을 혼자서만 간직해 왔어. 그래서 이런저런 일들을 불필요하게 참아온 측면도 있지만, 이제껏 감쪽같이 숨겨온 그 힘을 섣불리 사용하고 싶진 않았단 말이지. 그래서 스스로를 이렇게 다독여 왔어. 언젠가 기회가 올 거야. 걱정 마. 이 힘을 최고의 선행을 베푸는 데 사용할 기회는 꼭 올 테니. 그때 이 힘을 사용하게 될 거야. 하지만 기회는 오지 않았지."

다이아나는 말했다. "죄송하지만 그 유도 실력을 손톱만큼이라도 부인한테 보여줬더라면, 결과가 그리 나쁘지 않았을 것 같다는 생각이 드네요. 무슨 말인지 이해하시려나요."

식료품상은 대답했다. "아니, 아무 소용없었을 거요. 그 사람은 얼마 못 가 날 사랑할 수 없는 남자, 자기가 됐든 다른 여자가 됐든, 그 어떤 여자도 사랑할 수 없는 남자로 치부해 버렸거든."

루디는 말했다. "그건 아저씨 생각 아니고요?"

"아니. 자부심 없는 남자와 내 아내 같은 여자, 그러니까 사랑 따위 별 관심 없는 여자, 그게 우리 부부였어. 그 사람은 정절에 관한 한은, 나한테 개처럼 충실했어, 20년간 다른 남자한테 손톱만큼이라도 한눈을 팔아 본 적이 없다고."

루디는 서글픈 목소리로 말했다. "결혼을 하면 여자들이 여성성을 잃는 건 사실이에요."

그는 짜증스런 얼굴이 되기 시작하는 지나를 힐끔 보았다. 자크는 말했다.

"더러 여성성을 간직하는 여자들도 있어. 일반화하지 말자고."

지나는 말했다. "신부는요. 다녀갔나요?"

노파의 남편이 대답했다. "다녀갔소. 이따 저녁에 다시 올 거요."

그는 아내를 바라보았다. "아무래도 이쯤에서 우리가 받아들여야 하지 싶어요. 일주일이나 됐고, 세관장도 왔다 갔으니."

노파는 고개를 떨구며 한숨을 내쉬었다. 잠시 침묵이 흘렀다. 마침내 식료품상이 입을 열었다.

"아무래도 내가 좀 고약스러워진 것 같아요."

다이아나는 외쳤다. "오! 무슨 말씀이세요!"

"그렇다니까, 이게 다 한 번도 써먹어 보지 못한 그놈의 유도 때문이오…."

자크는 말했다. "세관장이 다녀가면 뭐하냐고…." 그는 남자를 바라보며 미소를 지으려고 애썼다.

식료품상은 말했다. "최고의 선행을 베풀 기회를 계속 찾다가, 이젠 그럴 수만 있다면 내가 아예 그 기회를 만들어 낼 판이오… 그러니 고약스러워질 수밖에."

그는 잔에 포도주를 따랐다. 아침부터 적잖이 마신 것 같았다. 그는 자크한테도 한 잔 권했고, 자크는 잔을 받아들었다. 루디는 중얼거렸다.

"최고의 선행을 베풀 기회라…. 뭐라도 있어야 할 텐데…."

지나는 노파한테 물었다. "그래서 떠날 생각이세요?"

노파는 대답했다. "여기 이러고 있은 지 벌써 일주일째유."

자크는 말했다. "누구나 최고의 선행을 베풀 기회를 기다리는데, 아무도 유도 실력을 발휘할 기회를 얻지 못하죠." 그는 루디를 돌아보았다. "그러니 통탄할 필요가 없는 거야. 그게 우리 모두의 똑같은 운명이니까."

루디는 말했다. "어쨌든."

사라가 끼어들었다. "그렇지 않아. 누구나 다 그렇게 특별한 한 가지만을 기다리지 않아."

다이아나도 말했다. "아저씨는 도시로 가셔야겠네요."

"너무 늦었어요. 이제야 도시로 가서 내가 뭘 어쩌겠소? 차에 깔려 죽으려고?"

루디는 말했다. "바로 그거예요, 어느 날 아침 눈을 떠 보니 이젠 너무 늦은 거죠. 나도 이제야 그런 말을 믿어요, 전엔 믿기는커녕 어리석은 말이라고 생각했죠…."

지나는 말했다. "그럼 이젠 믿게 된 마당이니 뭘 바라는데?"

식료품상은 말했다. "너무 늦었다니까. 도시에 가려는 건 사랑을 찾아서라고, 사랑을 사랑하니까. 아! 내가 도시를 얼마나 사랑했는지. 정말 미치도록 사랑했어. 자유롭게 모험하며 누비고 다닐 상상의 도시에 대해 오래도록 총천연색 꿈을 간직하고 있었지. 하지만 꿈만으론 부족하고 그 때문에 나는 고약해지고 말았어."

다이아나는 말했다. "이상하네요, 난 사람들이 이젠 호젓한 곳에서 여름휴가를 보내고 싶어하기 시작했고, 상상의 도시에 대한 총천연색 꿈은 더 이상 꾸지 않는다고 생각했거든요. 그저 개인적인 의견이긴 해요. 어떻게들 생각해요?"

지나는 대답했다. "호젓한 곳으로 떠나고 싶으면 기차도 있고 배도 있고 자가용도 있어. 원하면 어디든 갈 수 있다고."

루디는 움찔했지만, 이내 다이아나에게 미소를 지어보였다.

"결혼은…."

식료품상은 간신히 말했으나 문장을 끝맺지 못했다. 그는 포도주를 한 잔 더 마셨다. 스스로의 장광설에 도취된 동시에 서글퍼진 듯했다.

자크는 물었다. "혹시 최고의 선행을 베풀 기회를 기다린 것도 그 도시들, 그 총천연색 상상의 도시들에서였나요?"

식료품상은 대답했다. "맞아요. 꿈속에서였소, 불행의 원흉인 그 금고 뒤에서 밤에, 심지어 더러 낮에도 꾸는 꿈속에서. 특히 그 여편네가 돈 계산을 하고 있을 때 꿈을 꿨죠. 꿈속에서 내가 한 여인을 구해 줬는데, 열다섯 살 때 영화 속에서 보았던 여인이었소, 꿈을 꿀 때마다 늘 똑같은 여인이 등장했지. 그 여인이 여름날 정오에 햇빛이 쨍쨍한 거리에서 악당한테 공격을 당했어요, 부당하게 공격을 당했지만 난 이유를 캐묻지 않았죠. 그저 달려가 악당들을 모조리 해치우고 나서 그녀와 나, 우리는 도시로 떠났어요. 난 늙어 가는데 내 꿈속의 여인은 절대 늙지 않았죠. 그런데 그 여인은 왜 유독 여편네가 돈 계산을 할 때 내 꿈에 더 잘 등장했던 걸까요? 이유를 잘은 모르겠지만, 한 번 고민해 보리다. 이제부터는 내 삶에 관심을 가져 보기로 했으니 말이오."

지나는 말했다. "열두 시 반이에요. 이러다 점심을 몇 시에 먹게 될는지."

루디는 타박했다. "아! 그만해, 그놈의 점심 타령."

다이아나는 말했다. "아저씨를 진즉에 만났더라면 난 아저씨가 원하는 어느 도시든 따라갔을 거예요."

식료품상은 화들짝 고개를 들더니, 처음으로 웃었다. 그는 말했다.

"아! 이리 고마울 데가."

모두들 다이아나에게 미소를 지어 보였다. 그녀는 얼굴을 살짝 붉혔다.

자크는 말했다. "맞아요, 아저씨를 따라가고도 남을 여자예요."

루디는 지나를 가리키며 말했다. "저 여자는 아니죠."

자크는 사라를 가리키며 말했다. "저 여자도 틀림없이 아저씨를 따라갔을 거고요. 봐요, 어쨌든 아저씨를 따라갈 여자들이 꽤 되잖아요…."

남자도 끼어들었다. "저도요, 저도 저 두 여성분은 아저씨를 따라갔을 것 같군요."

그는 비누상자 위의 잔을 집어 든 다음, 포도주를 따라 마셨다. 자크는 물었다.

"그쪽도 그걸 안다고요?"

루디도 물었다. "뭐? 저 두 여성분이 이 아저씨를 따라갔을 거라는 거요?"

"네." 남자는 대답하고는 수더분하게 덧붙였다. "그게 뭐 대수라고요."

루디는 말했다. "맞아. 그런 여자들은 보면 대번에 알지. 따라가지 않을 여자들도 대번에 알 수 있고."

자크는 동의했다. "맞아."

모두들 입을 다물었다. 식료품상은 신나서 벙글거렸다.

지나가 소리쳤다. "대체 왜 자꾸 날 걸고 넘어지는 건지 모르겠네. 아무리 나의… 아무리 내 여자답지 못한 면이… 싫어도 그렇지."

루디는 말했다. "아! 누구든 모든 삶을 다 살아 볼 순 없는 거야, 그건 그래, 그렇다고 당신과 이룬 내 삶이 싫다는 것도 아니고."

지나는 조용히 말했다. "때로 착각할 수도 있어. 때로 그럴 것 같지 않은 여자들이 남자를 따라 가장 먼 도시까지 따라가기도 한다고. 그 여자들은 절대 내색하거나 말하지 않지만."

사라가 동의했다. "맞아."

자크는 말했다. "그래."

루디는 지나에게 웃어 보였지만, 지나는 웃지 않았다.

노파의 남편이 혼자만의 생각에 빠져 비누상자를 가리키며 말했다. "저놈, 저놈은 불행히도 도시를 좋아하지 않고, 오로지 이 망할 놈의 산만 좋아했다오."

노파가 말했다. "사라고사도 있잖우."

노파의 남편은 말했다. "아, 그러네, 그런데 거긴 갈 수 없으니까 좋아했던 거고."

노파는 상자를 다시 쳐다보더니 나지막이 신음을 흘리기 시작했다.

지나는 말했다. "자, 우중충한 얘기들은 이제 그만두고 밥 먹으러 가야죠." 그녀는 훌쩍이고 있는 노파를 가리켰다. 다이아나는 말했다. "안 돼."

루디가 결단했다. "돼. 자, 가자고."

그는 작별 인사를 한 뒤, 혼자 가버렸다. 모두들 그의 뒤를 따랐다. 사라는 루디의 곁에서 걸으며 그의 팔을 잡았다. 그는 말했다. "지나도 자기가 전혀 변하지 않았다는 것을 자랑스러워 해. 식료품상 부인이나 똑같지. 그 여자 얘기가 지나 얘기이기도 하다고."

그는 사라의 허리에 팔을 둘렀다. 남자와 자크와 다이아나는 일언반구도 없이 묵묵히 루디와 사라의 뒤를 따르며 두 사람의 대화를 들었다. 지나는 모두를 앞지르더니 반바지 주머니에 양손을 찔러 넣고서 여봐란듯 휘파람을 불어 댔다.

루디는 말했다. "지나는 정말 미쳤어, 자기가 자랑스러운 거야, 그래, 저렇게 남이야 욕을 하건 말건, 꿋꿋이 마이동풍일 수 있는 자신이 자랑스러운 거니까."

그는 사라를 세게 끌어안으며 말했다.

"귀여운 사라, 그런데 어떡하겠어. 너도 알고, 나도 알잖아. 지나는 죽을 때까지 절대 변하지 않을 거야."

"그래도 넌 있는 그대로의 지나를 변함없이 사랑할 거야. 우리도 있는 그대로의 지나를 변함없이 사랑할 거고."

"아! 모르겠다."

"난 그럴 거라고 생각해. 우리가 변함없이 바다를 사랑하듯. 그리고 어쩌면 너에겐 힘든 사랑이 필요할 수도 있어."

"그런데 몇 해 전부터 고려해 본 사랑이 있어, 가령 젊은 여자, 그래… 젊은 여자와의 사랑. 그러면서도 더는 지나를 사랑하지 않는다는 건 상상이 안 돼, 지나 없이는 못 살 것 같아. 오래전, 아주 오래전부터 지나 아닌 다른 여자와의 삶은 상상할 수도 없게 됐다고. 거봐, 어쨌든 변하는 게 있긴 한 거야." 그는 이 말을 소리 죽여 내뱉었고 아무도 듣지 못했다.

사라는 말했다. "지나도 알고 있어, 전부 다. 그런데 왜 하필 젊은 여자야?"

"나도 잘 몰라. 젊은 여자들은 자기가 원하는 걸 모르니까, 아마 그거 때문일 거야. 전부 다 원하면서 아무것도 원하지 않기도 하고, 어떤 걸 원하면서도 그와 정반대인 걸 원하기도 하고. 젊은 여자를 사랑하는 건 아무도 사랑하지 않는 거야, 왜냐하면 젊은 여자는 사라지거든, 성숙한 여인이 되면서 다른 사람이 돼 버려. 어쨌든 가끔은 생각나. 상상의 도시가 나오는 나만의 총천연색 꿈이라고 할까."

사라는 말했다. "이해돼."

커브를 돌자 지나가 보였다. 비탈을 오르며 여전히 여봐란듯 휘파람을 불고 있었다.

루디는 말했다. "아! 화가 치미네. 나 집에서 밥 안 먹을래. 너희랑 호텔에서 먹어야겠어. 다이어트용 토마토 파르시는 지나 혼자 먹든지 말든지."

"너 토마토 파르시 좋아하잖아."

"응, 지나가 만든 걸 좋아하지. 요리를 하도 잘해서 날 점심 시간 두 시간 전부터 자기가 만든 토마토 파르시 생각이나 하는 먹보로 만들어 버렸어. 그건 업적이야. 안 그래?"

자크는 다이아나를 앞질러 루디의 다른 편 옆쪽으로 가서, 입버릇 같은 말을 던졌다. "내가 견딜 수 없는 게 한 가지 있는데, 그건 바로 루디가 슬퍼하는 거야." 산속의 무더위는 절정에 달했다. 만물이 죽은 듯 정지되었다. 오직 절벽에 부딪쳐 부서지는 둔중한 파도 소리와 소귀나무 열매 주변을 날아다니는 벌들의 요란한 붕붕거림만이 들려왔다. 대기 중엔 탄내와 달콤한 꽃향기가 동시에 감돌았다. 그것은 어마어마하게 달달한 음식 냄새처럼 공기를 끈적거리게 하는 냄새였다.

자크는 말했다. "호텔에 가서 식사하자, 루디. 한번쯤은 너도 그렇게 해 봐."

그는 달려가며 갑자기 즐거워져서 외쳤다. "내가 시원하게 마실 수 있도록 미리 캄파리 주문해 놓을게."

루디는 말했다. "바로 그거야." 그는 덧붙였다. "자크 저 녀석, 내가 자크를 정말 얼마나 좋아하는지." 그는 또 덧붙였다. "너희 부부와 다이아나, 그리고 젊은 친구와 함께 점심 들 생각을 하니 기분이 좋아지는걸. 그래, 안될 말이지. 지나가 그렇게 믿고 있고 바라는 바긴 하지만 친구들을 대신해 줄 순 없어, 안 그래? 안될 말이고말고, 저 젊은 친구도 갈수록 마음에 드네."

사라는 대답하지 않았다. 루디는 그녀를 돌아보았다.

"너는, 저 친구 호감 가지 않아?"

"호감 가."

그녀는 루디에게 미소를 지어보였다. 루디는 말했다.

"저 말이야, 그게, 저 친구가 아무래도 너한테 좀 반한 것 같아."

"그런 게 보이니, 너도?"

그는 너털웃음을 터뜨리며 말했다.

"뭐야, 날 그 정도까지 바보라고 생각하는 거야?"

"기뻐."

"뭐가? 저 친구가 너한테 반한 게?"

"응."

"아! 지나도 좀 너 같으면 얼마나 좋을까."

"그랬다면 넌 자크보다 더 못 견뎠을걸."

"물론 못 견디긴 했을 거야. 하지만 고통도 행복처럼 가끔 종류를 바꿔 줘야 한다고. 안 그러면 우린 늙고 멍청해져."

"나도 그렇게 생각해."

다이아나와 남자는 그들이 있는 곳으로 왔다. 다이아나는 루디가 고통에 대해 이야기하는 걸 들었다. 그녀는 말했다.

"말이야 쉽지. 우리가 원하는 걸로만 고통받을 수 있다면 세상이 얼마나 편할까."

루디는 물었다. "다이아나는 가끔 뭐가 문제인 거야?"

사라는 대답했다. "권태로운 거야, 넌 권태로워 본 적 없어?"

"뭐 가끔은. 난 겨울에 그래. 여름엔 절대, 아니야."

그들은 호텔에 도착했다. 자크는 캐노피 안에서 여섯 잔의 캄파리를 앞에 놓고 앉아 있었다. 아이는 호텔의 다른 아이들과 놀았다. 가정부는 우울한 얼굴로 생각에 골몰한 채 멀리서 아이를 지켜보았다.

자크는 말했다. "너무 많이 시켰나, 지나가 안 마신다는데."

다이아나는 말했다. "염려 마, 내가 바로 두 잔 다 마실 테니까."

루디는 말했다. "지나는 아페리티프라면 질색해. 아페리티프는 예나 지금이나 결사반대지."

아이한테 간 사라는 아이를 들어올려 키스했다. 그녀는 가정부한테 물었다.

"여기서 뭐해요?"

"아주머니 기다리고 있었죠. 녀석이 집에서 밥을 먹질 않겠다고 해서. 루디 아저씨네에서 먹고 싶대요."

루디는 말했다. "거 안됐군, 난 오늘 점심은 집에서 먹지 않거든요."

사라는 말했다. "이 시간이면 자야 하는데."

가정부는 말했다. "대책이 없어요, 집에 가자니까 펄펄 뛰며 난리도 그런 난리가 없었어요."

아이는 말했다. "나 당장 루디 아저씨네 가서 밥 먹을래."

루디는 말했다. "가 봐요, 난 몰라요, 오늘은 집에 안 갈 거니까. 가서 둘이서 다 먹어 치우든가." 그는 설명했다. "가정부가 집에 왔다 가는 날엔 먹을 게 남아나질 않거든. 난 그렇게 다 먹어 치우는 건 또 처음 봐."

가정부는 말했다. "그렇게 말씀하시는 건 좀 심하네요. 전 아무것도 삼킬 수 없어요, 요즘 통 식욕이 없거든요." 그녀는 낮게 낄낄거리기 시작했다.

루디는 말했다. "나무라는 게 아니에요, 그래서 좋다는 소리요."

사라는 말했다. "캄파리 한 잔 하고, 얼굴 좀 펴요. 기분이 나아질 거예요."

가정부는 말했다. "캄파리 맛은 역겹지만, 한 잔 마실게요. 그럼 기분이 좀 나아지겠죠. 애가 해변에서 어찌나 사람 진을 빼놓았는지, 말로는 다 못해요."

사라는 말했다. "많이 힘든 아이라는 거 알아요. 하지만 악한 녀석은 아니에요."

"저도 그럴 거라고 믿고 싶어요. 어쨌든 지긋지긋하네요. 아페리티프 감사합니다. 점심 식사 후엔 뭘 할까요?"

"뭘 하고 싶은데요? 집에 가서 애를 재우든가요. 나도 나중에 가볼게요. 애한테 좀 다정하게 대해 줘요."

사라는 아이를 부둥켜안으며 머리를 쓰다듬었다. 아이는 배고프다고 악을 쓰며 버둥거렸다. 가정부는 조곤조곤 말했다.

"보세요, 하기는 아주머니는 또 다르겠네요. 자기 자식이니까. 결국 이해하지 못할 거예요."

자크가 끼어들었다.

"아니, 이해해요. 또 설령 이해하지 못한들 뭘 어쩌겠어요. 어떻든 우리 자식인걸."

가정부는 웃더니 작별 인사를 하고서 루디네로 가버렸다.

다이아나는 말했다. "난 저 가정부 애 꼴 더는 보고 싶지 않아."

루디는 말했다. "난 마음에 드는 날도 있긴 해, 가령 오늘 같은 날.

심지어 예뻐 보이는 날도 있다고."

자크는 말했다. "나도 어느 면으로는 애정이 가. 밉지 않은 구석이 있는 애야."

캐노피 안은 시원했다. 그들은 잠자코 캄파리를 마셨다. 각각 두 잔씩, 다이아나와 자크는 세 잔씩. 호텔의 다른 투숙객들은 식사하기 시작했다. 그들은 늘 마지막에 남았지만 아페리티프 매상을 올려 주는 주요 고객이었기에 규정된 식사 시간을 좀 넘겨도 호텔 측에서 야박하게 굴지 않았다. 남자도 캄파리를 세 잔째 마셨다. 그는 말했다.

"이 술이 좋아지기 시작했어요, 참 신기하죠."

사라에게 하는 소리였다. 다이아나만이 그걸 눈치챘다. 다들 공복에 수영을 하고 난 직후였던 만큼 캄파리가 금세 효과를 발휘했다. 물처럼 넘어가는 차가운 캄파리는 사람을 들뜨게 만든다.

사라는 말했다. "담배 사 갖고 올 테니 식사들 해."

그녀는 멀어졌다. 그녀가 길가에 나서기도 전에 남자가 그녀한테 다가왔다. 그는 미소 지었다. 약간 얼큰해진 듯했다. 그는 말했다.

"나도 담배 사야 돼."

그들은 함께 길을 걸었다. 샌들을 통해 타는 듯한 도로의 열기가 전해졌다. 비록 손바닥만 하지만 소귀나무 그늘이나마 드리웠던 산길의 열기와는 비교도 되지 않았다. 길가에 늘어선 말라붙은 협죽도들이 여전히 달달하면서 역하기도 한 냄새를 퍼뜨렸다. 그들은 눈을 찌르는 햇빛 때문에 서로의 얼굴을 볼 수조차 없었다. 그들이 볼 수 있던 건 오직 샌들을 신은 먼지 묻은 서로의 발이었다. 그들은 별장들의 하얀 벽과 강물에 반사된 눈부신 햇빛 속에서 걸음을 재촉했다.

남자는 웃으며 말했다. "당신 혼자 식료품점에 가게 하고 싶지 않았어."

"너무 티 날까 봐 겁나."

"캄파리도 오른 데다 덥기까지 하잖아, 내 탓이 아니야."

그들은 식료품점에 도착했다. 창문이란 창문은 모조리 닫힌 가게 안에서 찬바람이 일었다. 식료품상은 그새 산에서 내려와, 상점 한가운데 놓인 의자에 앉아 빵과 소시지 조각을 우물거리고 있었다.

사라는 외쳤다. "와! 바다 속에 들어온 듯 시원하네요."

가게에서 소시지며 마늘이며 오렌지 따위의 냄새가 풍겼다. 남자는 미국산 담배를 주문했다. 식료품상은 더 이상 판매는 하지 않지만 위층에 재고가 몇 개 남았다며 기꺼이 내주겠다고 말했다. 그는 죽은 청년의 부모들과 산에서 함께 마신 포도주 기운과 많은 나이 탓에 휘우뚱거리며 담배를 찾으러 위층으로 올라갔다. 이윽고 공간을 조심조심 걷는 발소리가 들려왔다. 남자는 사라를 힘껏 부둥켜안고는 식료품상이 담배를 찾는 동안 키스했다. 잠시 후 또다시 발소리가 들렸다. 남자는 사라를 왈칵 밀치고 상점 한가운데 놓인 의자에 황급히 앉았다. 사라는 카운터 근처 빈 진열대에 등을 기대고 섰다. 위층에서 식료품상이 장롱 문을 닫고서 반대 방향으로 걷는 소리가 들렸다. 이어서 냉기가 감도는 집의 서늘한 침묵 속에서 다른 문을 여는 소리가 들렸다.

사라는 말했다. "못 찾나 봐."

"오늘밤이야. 오늘밤에 만나."

"알았어, 오늘밤."

"강 건너 무도회에 간다고 해, 배를 타고 바다로 나가지 않겠다고. 여기 말고 다른 무도회도 가 보고 싶다고. 그럴 거지?"

"그럴게."

식료품상은 담배를 찾았다. 그는 다시 한 번 끼이익 소리를 내며 벽장문을 닫고서 공간을 가로질렀다.

사라는 말했다. "그런데 누가 따라붙을지도 몰라."

"혼자 와야 돼, 꼭 그렇게 해야 돼."

"그럴게."

그는 무언가를 말하고 싶은 듯 그녀를 바라보다가, 아무 말도 하지 않은 채 웃음을 터뜨렸다.

"왜 웃어?"

"당신한테 하려던 말을 생각하니 웃음이 났어."

식료품상이 계단에서 모습을 드러냈다.

"여기 다섯 갑, 옜소, 그게 다요."

남자는 못 들은 듯했다. 사라는 앞으로 나서서 남자 대신 담배 다섯 갑을 받아들었다. 식료품상이 두 사람을 차례로 훑어보더니 말했다.

"두 양반 다 지치셨구먼. 하기는 이 빌어먹을 가게가 너무 마을 끝 자락에 붙어 있긴 해요, 게다가 이 땡볕에…."

남자는 말했다. "감사합니다, 얼마죠?"

사라는 말했다. "저는 이탈리아산으로 주세요. 두 갑만. 그래야 아저씨를 자주 보러 올 핑계가 생기죠."

식료품상은 말했다. "상냥하기도 하지. 노인네들도 곧 떠날 모양이니 이젠 가게에 더 자주 붙어 있을 거요. 다른 할 일이 뭐가 있겠소?"

사라는 말했다. "노인들 만나러 가야죠."

"가야지. 겨울에 찾아가서 포도주나 진탕 마시면서 시간을 죽이려고요."

그들은 값을 치르고 땡볕이 반겨 주는 거리로 나왔다.

"올 거지?"

"가고 싶어."

길게 뻗은 한적한 길에는 활공하는 새 그림자 하나 없었다. 별장의 모든 사람들이 점심 식사 중이었다.

남자는 말했다. "그걸론 부족해. 간절히 원해야 해."

그들은 고개를 숙이고서 빠르게 걸었는데, 흡사 쫓기는 사람들 같았다.

사라는 말했다. "당신 발이 이렇게 생겼었네, 처음 보는 기분이야."

"무슨 일이 있어도 와야 해."

"남편은 수시로 바람을 피웠어도, 난 이런 일이 처음이야."

"알아."

뒤얽힌 여러 목소리들이 열린 창문을 통해 쏟아져 나와 햇살 아래 부서졌다.

사라는 말했다. "비밀은 중요한 거야. 내게 비밀이 생기리라고는 생각지도 못했어."

"응."

사라는 덧붙였다. "어떤 비밀이든."

남자는 대답하지 않았다. 호텔까지 20미터 남았다.

남자는 말했다. "여기 태양 아래서, 당장, 사랑 할 수도 있어."

사라는 대답했다. "나도 그럴 수 있어."

"오늘밤, 강 건너 무도회에서. 시간은 당신 좋을 대로."

그들은 호텔에 도착했다. 루디를 제외하고 다들 식사를 들기 시작했다.

자크는 말했다. "하도 안 오길래 먼저 시작했어."

사라는 대답했다. "잘했어. 이 사람이 미국산 담배를 산다고 이 가게 저 가게, 끝도 없이 들러야 했거든."

남자는 물었다. "루디는 어딨어요?"

다이아나는 대답했다. "집에 갔어요. 지나가 이젠 아예 부르러 오지도 않아서 혼자갔죠. 갑자기 설사라도 난 것처럼 휙 가 버렸어요. 안 그래도 자크와 그 얘기 중이었죠. 분명히 우리와 식사하겠다고 해 놓고서 가 버렸다고."

사라는 말했다. "아마 첫발은 자기 의지로 뗄 수 없을 거야. 잘은 몰라도 누군가 여자가, 지나 같은 여자가 등 떠밀어 줘야 가능할 거야."

다이아나는 말했다. "지나가 행여 그러겠어? 지나가 원하는 건 루디가 다른 남자들처럼 그냥 집에 들어오는 게 아니라, 패배한 적군처럼 투항하듯 들어오는 건데."

사라는 말했다. "아름다운걸, 그렇게 사랑을 살리길 원하고, 그런 식으로 사랑을 붙잡아 두려는 것이."

다이아나는 말했다. "그럴까?"

남자는 물었다. "혹시 이 영구불변의 생선구이를 보고 떠난 건 아니고요?"

자크는 낄낄거리며 대답했다. "맞아요, 생선을 뒤집더니 혐오스럽다는 표정으로 바라보다가 코에 대고 킁킁거리더니 부리나케가 버렸어요."

다이아나는 말했다. "지나가 노인네들한테 봉골레 파스타를 다줘 버린 건, 루디가 자기와 자기가 만든 음식을 지나치게 탐하는걸 응징하려던 거야."

자크는 말했다. "그럴 수도, 아무튼 지나는 루디더러 밖에서 먹으라고는 절대 안 할 거야…. 우리 다 알잖아. 무엇보다 그건 지나가 정한 삶의 법칙, 혹은… 같은 말인데, 부부 간의 충절에 위배되니까."

다이아나는 물었다. "의미 있는 충절이란 게 있어?"

자크는 말했다. "난 그렇다고 봐." 그는 주저하더니 웃으면서 말했다. "당장 루디만 봐도, 그 충절에서 빠져나오질 못하잖아."

남자는 말했다. "언젠가 루디도 호텔에서 영구불변의 생선구이를 먹게 될 수도 있지 않을까요?"

자크는 말했다. "누가 알겠어요?"

그들은 더위며 여행이며 호텔 메뉴와 같은 다양한 이런저런 이야기들을 나누며 왕성하게 먹기 시작했다. 식사가 끝난 뒤엔 에스프레소를 마셨다. 맛이 훌륭했고, 이것이 안이한 호텔 메뉴에 대한 그들의 불만을 다소 달래 주었다.

남자는 말했다. "불이 더 번졌던데요."

캐노피의 적포도 덩굴 사이로 동쪽에 어제보다 훨씬 거대해진 검은 불덩이가 보였다. 강물 맞은편에 가파르게 솟은 산비탈 부근이었다. 산 한가운데 아직 훼손되지 않은 초록색 풀숲이 살아 남았다.

남자는 말했다. "어쨌든 수습은 시간문제예요."

자크는 말했다. "사실 불은 문제가 아니에요. 이곳에선 화재도 약간은 공기나 물처럼 세계의 일부분이라고."

그들은 자크의 말에 대해 잠시 토론을 벌였다. 이윽고 자크는 사라에게 말했다.

"당신한테 뭔가 하려던 말이 있어, 갑자기 떠오른 생각이."

"언제?"

"간밤에 더워서 잠 못 이뤘을 때. 한 일주일 짧게 여행을 다녀오면 어떨까 생각했어. 당신이랑 다이아나랑 나랑. 아이는 지나하고 루디한테 맡기고서."

"왜?"

"기분 전환 좀 하게. 또 내가 보고 싶은 것도 있고."

다이아나는 이미 아는 눈치였다. 자크가 미리 얘기한 듯했다. 그녀가 찬성했는지는 알 수 없었다. 그 두 사람은 오래전부터 알던 사이였다. 그들의 결속감은 깊고 완벽했으며, 둘 사이가 어쩌다 삐걱거리더라도 잠시 기분에 좌우된 것이지 다른 이유는 없었다.

사라는 말했다. "당장은 말고. 며칠 뒤라면 좋아."

그녀 쪽으로 기울였던 자크의 얼굴 표정이 달라졌다. 그는 의자에 등을 기대고서 담배를 피워 물었다. 마치 그녀의 대답이 그가 아내에 대해 알고자 했던 모든 것이라도 되는 듯한 태도였다. 남자도 불덩이에서 시선을 떼지 않은 채 담배를 피워 물었다.

자크는 말했다. "난 당신이 여길 싫어하는 줄 알았지."

사라는 대답했다. "싫어 죽겠어. 필요 이상 진저리를 낸다는 생각이 들 정도로, 당신이 싫어하는 것보다 훨씬 더."

다이아나가 가볍게 말했다. "감정이 그토록 극단적일 땐 늘 모호하기도 한 거야."

사라는 대답했다. "아마도."

다이아나는 이어서 말했다. "태양의 횡포가 극심하고 길이 너무 한적하면, 비논리적이 되기도 해. 지금이 그 경우 같아."

사라는 말했다. "그거네, 떠나고 싶으면서도 떠나기 어려운 거. 맞아?"

다이아나는 말했다. "맞아."

자크는 말했다. "한 문학들 하시네."

다이아나는 받아쳤다. "문학은 우리에게 언제나 커다란 구원이지."

자크는 빙긋 웃으며 남자를 돌아보았다.

"일찍이 이런 식의 감정 미화를 본 적이 있으신지요?"

"전 의견이 없습니다." 남자는 양해를 구하는 듯한 어조로 대답했다. 시선은 여전히 불덩이에 가 있는 채였다.

"정말로 아무 의견이 없어요?"

"전혀요."

자크는 사라를 돌아보았다. 그는 잠시 사이를 두었다가 말했다.

"짧게 여행 다녀오자. 로마로 직행했다가 나폴리 찍고, 파에스툼까지 죽 내려가는 거야. 더 밑으로 내려갈 수도 있고."

다이아나는 말했다. "좀 기다리는 게 좋을 것 같아. 이 더위에 여행은, 아니야."

사라는 동의했다. "맞아, 여행하다 쪄 죽을 거야."

자크는 낄낄거리며 말했다. "뭘 상관이야?" 그는 덧붙였다. "더위는 지나가. 내일이든 모레든 며칠 뒤든. 비가 곧 쏟아질 테고 그럼 끝나."

다이아나는 말했다. "어떻게 이 동네는 코냑도 없는지, 점심 후에 도무지 뭘 마셔야 할지 모르겠다니까. 아무래도 난 캄파리 한 잔 더 해야겠네." 그녀는 사라를 돌아보았다. "캄파리 한 잔?"

"난 됐어." 그녀는 다이아나에게 미소를 지었다.

자크는 말했다. "어쩌면 오늘이라도 비가 올지 몰라."

사라는 말했다. "언제부터 온다 하던 비인데, 오늘도 올 것 같진 않아."

자크는 말했다. "모든 가능성은 열려 있지."

사라는 말했다. "알았어. 비가 오면 떠나는 걸로 해."

다이아나는 남자한테 물었다. "나랑 캄파리 한 잔 하시겠어요?"

"아니요. 난 커피 마실게요. 식후엔 캄파리를 안 마십니다."

다이아나는 말했다. "다들 캄파리를 외면하다니, 이렇게 외로울 데가. 혼자 마셔야겠네. 하기는 이런 날씨에 여행하다간 쪄 죽기 십상일 거야. 날씨는 여행의 중요한 요소라고."

자크는 말했다. "아니, 날씨는 일단 여행 의지가 있을 때 중요한 거지."

사라는 말했다. "나는 영웅적인 모험 체질이 아니야."

자크는 말했다. "휴가 기간이 많이 남아 있지 않아. 비가 올 때까지 기다릴 수 없다고."

사라는 말했다. "아무래도 캄파리 한 잔 마셔야 할까 봐."

자크는 말했다. "내가 간밤에 지도를 좀 들여다봤거든. 로마로 가는 길에 타키니아에 들러 루디가 얘기하던 에트루리아의 작은 말들을 볼 수 있어. 생각해 봐. 루디가 귀에 못이 박히도록 떠들어 댄 게 언제부터냐고. 나폴리부터는 여기보다 덜 더울 거야."

사라는 말했다. "며칠 있다가 가자."

"이유를 말해 줄 수 있어?"

"지금은 내키지 않아."

"난 늘 떠나고 싶었어. 늘."

다이아나는 말했다. "난 아니야."

사라는 남자에게 말했다. "우리끼리만 얘기해서 죄송해요."

남자는 말했다. "오히려 제가 죄송합니다. 진즉에 자리를 떴어야 하는데, 남 얘기에 끼어들지 않는 것도 그리 쉽진 않아서요."

자크는 말했다. "아름다운 결점입니다. 저는 우리가 남 얘기에 늘 끼어들어야 한다는 주의죠."

침묵이 자리잡았다. 자크는 곰곰 생각했다. 사라는 커피를, 다이아나는 캄파리를 새로 주문했다.

남자는 말했다. "저도 작년에 파에스툼에 다녀왔어요."

자크는 물었다. "아! 그래요. 어땠나요?"

남자는 대답했다. "정말 아름다워요. 바닷가에 있죠."

"특히 포세이돈 신전이요, 안 그래요?"

남자는 천천히 대답했다. "네, 특히 포세이돈 신전이 웅장하죠. 케레스 신전은 그에 비하면 볼품없다고 봐야죠."

"루디가 말하길, 시칠리아의 아그리젠토 신전과 거의 동급일 만큼 멋지다고 하더군요."

남자는 대답했다. "거긴 잘 모르고요, 포세이돈 신전은 붉은 화강암으로 쌓아올렸는데 확실히 웅장하죠. 조명이 굉장해요."

자크는 파에스툼 생각에 몰두한 채 그의 이야기를 들었다.

남자는 말했다. "신전 주위를 물소들이 에워싸고 있죠. 아주 한적한 곳입니다."

사라는 말했다. "잘하면 비가 올지도 모르겠어. 얘기에 빠져서 몰랐는데 10분 전쯤부터 하늘이 흐려."

자크는 말했다. "거봐."

남자는 웃으며 말했다. "제 생각엔 아직 비가 올 것 같진 않아요."

자크도 따라 웃으며 말했다. "저 여자들에게 얘기하지 마세요."

사라는 말했다. "난 이런 더위엔 정말로 떠나고 싶지 않아. 미안해."

자크는 물었다. "정말? 정말로 가기 싫어?"

"화내지 마."

"내가 화를 내든 말든 무슨 상관이야?" 그는 벌떡 일어났다. "난 낮잠이나 잘래. 원하면 저녁에 다시 얘기해."

그는 가다가 되돌아와서 남자 앞에 버티고 서더니 물었다.

"이 모든 것에 대해 어떻게 생각하십니까?"

남자는 즉답하지 않았다. 다이아나가 벌떡 일어나 소리쳤다.

"자크!"

자크는 차분하게 물었다. "왜 그러는데?"

남자 또한 차분하게 대답했다. "왜 저한테 그런 걸 물으시죠?"

자크는 말했다. "글쎄요, 난 그저 남김없이 다 얘기하는 걸 좋아하거든요."

"이 정도로까지요?"

"가능한 선에선, 네."

다이아나는 말렸다. "제발 부탁이에요, 상대하지 말아요. 자크도 한번쯤은 대답을 거부 당해 봐야 돼요."

남자는 미소 지었다. "대답하지 않겠습니다. 미안해요."

자크는 말했다. "그건 답한 거나 마찬가지군요."

"그렇다면 왜 저한테 물으신 겁니까?"

"대답을 하지 않는 것도 일종의 대답이니까…." 그는 사라를 돌아보았다. 그리고 이제는 다른 누구도 안중에 없다는 듯이 말했다. "낮잠 자러 안 가?"

사라는 대답했다. "10분 후에 갈게."

남자가 느닷없이 말했다. "제 생각엔 여성분들이 파에스툼에 가지 않으려 하는 게 그리 큰 문제는 아닌 것 같습니다만."

자크는 대답다. "동의하는 바요."

그는 가 버렸다. 그가 떠나자 곧바로 다이아나가 말했다.

"난 늘 처음엔 너한테 반대였다가 끝에 가선 모든 게 뒤집히게 돼.

심지어 네가 잘못을 해도 네 편이 돼 버린다고."

남자도 사라도 대답하지 않았다.

다이아나는 계속해서 말했다. "자크는 우리가 고해성사라도 하듯 자기한테 진실을 고해 바쳐야 한다고 생각해. 어떨 땐 정말 때려 주고 싶다니까."

남자는 말했다. "파에스툼에 몹시 가고 싶은 거 같아요. 전 그가 굉장히 좋은 사람같이 느껴지네요."

사라와 다이아나가 놀라 서로를 쳐다보았다.

다이아나는 말했다. "그게 문제가 아니에요."

"맞는 거 같은데요, 자크를 잘 모르는 제가 본 바로는."

사라는 말했다. "우리들 중에서 제일 정신 나간 사람이 저 친구예요."

다이아나는 캄파리를 꽤 마셨다. 그녀는 말했다. "나도 파에스툼에 가고 싶었어."

사라는 말했다. "나도야, 대체 누가 파에스툼에 가고 싶지 않겠어? 하지만 강요받는 건 싫어."

"알아." 다이아나는 말하고는 덧붙였다. "그래서 아무도 파에스툼에 가지 않을 것이고. 그렇게 모든 걸 망치는 거지."

사라는 대꾸하지 않았다. 호텔 테라스엔 이제 그들 세 사람뿐이었다. 평소보다 더 늦은 시각이었다. 웨이터 한 명만이 캐노피 반대편 끝에서 손님들을 기다리며 졸고 있었다.

남자는 말했다. "해가 다시 나왔네요. 그러게 제가 뭐래요."

다이아나는 말했다. "계속 이대로 가다가는 정말 안 올 수도 있겠어. 난 한 시간 정도 잘래. 그럼 평소처럼 큰 해변에서 다섯 시쯤 보는 걸로 할까?"

"알았어." 사라는 대답한 뒤 좀 망설이다가 말했다. "저녁에 난 강 건너 무도회에 갈까 해."

다이아나는 시선을 떨군 채 말했다. "좋은 생각이야, 기분 전환 좀 되겠네…."

"응, 기분 전환이 될 것 같아."

다이아나는 떠났다. 이제 남자와 사라, 단둘만이 남았다. 캐노피 반대편 끝에 있던 웨이터는 하품을 하면서 그들을 곁눈질했다. 남자는 사라를 바라보았다. 하지만 사라는 검은 연기가 피어오르는 산에서 커져 가는 불덩이만을 바라볼 뿐이었다. 그녀는 말했다.

"다들 배를 슬쩍해서 바다로 나가려던 계획을 포기한 모양이야."

"내 방으로 가자."

"호텔은 투명한 유리집이나 마찬가지인 거 몰라?"

그녀는 일어났다. 캐노피 반대편 끝의 웨이터가 여전히 하품을 하면서 심심풀이 삼아 그들의 대화에 귀를 기울였다. 마을 전체가 여름 날 낮잠의 망각에 함몰된 채 정지해 있었다.

"바로 가지 마."

"바로 떠나지 않으면 당신 방에 올라가고 말게 될 거야."

"그러니까 가지 마."

"난 유리집은 질색이야."

"사라."

그가 그녀의 이름을 불렀다. 그녀는 놀랐으나 거의 내색하지 않았다.

"아직도 슬픈 거야?"

"사람은 누구나 슬픈 거야. 난 다이아나보다 덜 슬프고."

"제발, 내 방으로 가자."

"지금 당신 방에 가면 난 자크 생각을 하게 될 거야."

남자가 스스로를 방어하는 듯한 손짓을 했다. 그는 말했다.

"그래도 가자, 난 신경 안 써."

"난 신경써, 난 당신 방에 올라간다면 더는 자크 생각을 하고 싶진 않거든."

"그럼, 오늘밤에 만나."

"응, 오늘밤. 내가 당신 배를 수월하게 훔치게 하려고 당신을 데리고 강 건너 무도회에 가는 거라고 말할게."

"당신 입으로 이제 아무도 내 배에 관심 없을 거라면서."

"상관없어. 난 어쨌든 오늘밤에 당신 배를 훔치기로 된 것처럼 굴 거야. 누가 알아? 강물에서 배의 모터 소리가 들리면 우리도 헤어져서 돌아와야 돼."

"이곳에 올 때 난 결백했었는데 -그는 빙긋 미소 지었다- 이젠 남들과 같이 사연을 간직한 남자가 되었군."

"모터 소리가 들리면 놀란 척하고서 즉시 돌아오자. 친구들이 바다에서 돌아왔을 때 굉장히 놀란 척해야 돼."

"제대로 못할 것 같긴 하지만, 닥치면 또 어찌어찌 할 수 있을거야. 지금은 당신과 함께 갈 무도회 말고는 다른 생각을 할 수가 없어."

"당신이 놀라지 않으면 다들 눈치챌 거야. 그것만 생각해."

"그럼 어떻게 되는데? 그렇다 해도 당신 생각만큼 그렇게 끔찍할 거 같지 않은데…."

"아니야, 끔찍할 거야. 그럼 난 강에서 모터 소리가 들렸을 때 당신한테 우리 계획에 대해 말해 줬다고 할 거야. 그 경우 당신은 이미 한 차례 놀랐던 척해야 돼."

"더해, 하고 싶은 말이 있다면 전부 다." 남자는 소리 죽여 덧붙였다. "무도회장 뒤쪽에 옥수수 밭이 있는 걸 봤어. 바다 바로 옆에."

"그래, 있더라. 그쪽은 해변이 굉장히 넓어."

"그쪽 들판엔 바람을 가로막는 게 아무것도 없어. 그래서 밤에 여기보다 훨씬 시원해."

"여기는 정말이지 쉬운 게 하나도 없어."

시간이 흘렀다. 웨이터는 여전히 잠들지 않았다.

"당신 배 비싼 거야?"

"내 배 걱정은 하지 마."

그녀는 일어났다. 그는 그녀를 붙들며 어떤 몸짓을 취하려다가 웨이터를 의식해서 포기했다. 그녀는 가 버렸다. 잰걸음으로 땀범벅이 되어 집까지 걸어갔다. 자크는 베란다에 누워 책을 읽고 있었다.

사라는 말했다. "이 더위에 책을 읽을 수 있다니 행운아네."

자크는 대답했다. "난 언제 어디서든 책을 읽을 수 있어."

사라는 욕실로 뛰어가 옷을 벗었다. 그가 그녀를 따라 욕실로 들어왔다. 그녀는 샤워를 했다. 그는 문에 기대선 채로 샤워하는 그녀를 지켜보았다.

"이젠 나도 그 친구가 호감이 가더라고."

"거봐."

그는 웃으면서 말했다. "당신을 좋아하는 남자들에게는 나도 늘 호감을 느끼게 되는 것 같아."

그녀는 두 통째의 물을 끼얹은 뒤 욕실에서 나와 다시 옷을 입었다.

"당신한테는? 당신에겐 이제 호감 가게 안 굴어?"

"왜 안 그러겠어."

그녀는 욕실에서 나왔고, 그들은 다시 베란다로 갔다. 나뭇잎 몇 장이 미세하게 흔들리기 시작했다.

사라는 말했다. "늦었어. 그만 자야지."

"이제 어쩔 셈인지 나한테 얘기해 줬으면 좋겠는데. 말해 줄래?"

"짧게 여행 다녀오는 건 며칠 있다가 하자, 비도 내리면."

자크는 대답 없이 바닥에 털썩 주저앉았다. 그녀는 선 채였고, 계속해서 말했다.

"타키니아에 들를 수도 있겠고, 좋은 생각이야."

"그럴 수도 있겠지."

"난 다섯 시까지는 잘래. 그렇지 않으면 큰 해변에 못 가."

"아니, 바로 자러 가지 마."

그녀는 선 채로 테이블에 펼쳐져 있는 책을 집어 들었다. 그리고 말했다.

"당신도 많이 못 읽었구나."

"응…."

그는 안락의자에 머리를 기댔다.

"음… 난 정말이지 당신이랑 꼭 이 여행을 가고 싶었어. 당신이 알아줬으면 해."

그의 얼굴에 짙은 피로감이 배어 있었다. 그는 고개를 들더니 말했다.

"당장 당신이랑 함께 떠날 수 없다는 걸 못 견디겠어. 도저히 안 돼. 더위를 포함해서 당장 떠나지 못하는 이유를 들을 준비도 됐거든. 그런데도 난… 단 하루라도 여기 더 머물러야 된다는 생각을 하면 미쳐 버릴 것 같아."

"그 정도까지 심각하다면 떠날 수도 있어."

"아니야, 됐어, 지금 내가 할 일은 그 생각을 견디고 극복하는 걸 거야. 온 힘을 다해서 노력할게. 온 힘을 다해서. 예를 들면, 혼자서, 당신 없이, 떠나 보려고 노력할게."

그녀는 일어나 복도 속으로 스며들었다. 그도 일어났다. 그가 다시 말했다.

"난 그렇게 되고 싶어, 그렇게 되는 데 성공하고 싶어."

그녀는 상기시켰다. "난 그렇게 되는 데 이미 성공했어."

"알아."

그는 복도의 선선한 어둠 속으로 그녀를 따라 들어갔다.

그는 말했다. "미안해."

그녀는 그의 품에 안겼다. 그리고 말했다.

"몇 해 전부터 난 밤이면 더러 다른 남자를 꿈꿔."

"알아, 나 역시 다른 여자를 꿈꿔."

"어찌해야 할까?"

"세상의 어떤 사랑도 사랑을 대신할 순 없어, 그건 어쩔 도리가 없는 거야."

"정말 어쩔 도리가 없을까, 정말 아무것도?"

"아무것도. 가서 자."

그녀는 자러 갔다. 그는 그녀를 붙잡지 않았다. 그녀는 땀에 젖어 깊이 잠든 아이 곁에 누웠다. 오늘 일어났던 그 모든 일들을 생각하는 대신, 그녀는 바람이 잘 안 통하는 이 집과 이 지역이 아이한테 불편한 점에 대해 생각했다. 그녀는 감미로운 바람이 부는 다른 휴가를 상상했다. 날씨가 어찌나 무더웠던지 조만간, 당장 오후에라도 비가 쏟아질 것만 같았다. 그녀는 그 희망을 간직한 채 잠이 들었다.

4

그녀가 잠에서 깼을 때, 날은 다시 개어 있었다. 그들이 이곳에 온 이후로 하루도 빠짐없이 불어 온 한결같은 미풍이 일기 시작했다. 그녀는 일어나 비틀거리며 정원으로 갔다. 이 무렵이면 늘 그렇듯 불어오는 산들바람이 강어귀의 녹지대와 잔잔한 강물 위를 휘돌았다. 그녀는 복도를 지나며 침실 문을 통해 자크가 방에 없다는 걸 확인했다. 그리고 정원으로 나가 강물과 마주한 대문까지 걸었다. 습하고 규칙적인 바람에서 희미한 탄내가 났다. 자크는 낮잠을 자지 않은 듯했다. 아마 루디나 다이아나, 아니면 호텔 캐노피 안에서 마주칠 수 있을 남자를 만나러 갔으리라. 파에스툼 여행이나, 물소들이 둥근 열주 사이에서 풀을 뜯고 노니는 포세이돈 신전에 대해 이야기하고 싶었을 테다. 루디는 걸핏하면 떠들어 대곤 했었다. 열네 개의 붉은 화강암 열주들이 여섯 줄로 늘어선 석조 건물의 열주들 사이에서 물소들이 꿈을 꾸고 있다고. 신전은 거친 바닷가에 펼쳐진 적막한 정원 안에서 황갈색 석양 빛에 잠겨 있다고.

고요한 집 안에서 생쥐가 내는 희미한 바스락 소리가 났다. 아이가 일어났다. 녀석은 홀딱 벗은 채로 말없이 그녀 곁에 와 앉았다. 머리칼이 땀에 젖어 있었다. 그녀는 물통에 가득 채운 찬물을 백일홍 옆에서 아이에게 끼얹어 주었다. 아이는 즉시 생기를 되찾고는, 대서양의 물고기란 물고기는 모조리 건져 올리고 싶다는 희망사항과 보트에 대해 이야기했다. 하지만 잠시였다. 아이는 이내 보트며 물고기 따위는 잊어버리고 놀이에 빠져들었다. 아이가 습하고 미지근한 산들바람 속을 뛰어다니는 동안, 사라는 샤워하고 옷을 갈아입고 머리를 빗었다. 그리고 다시 베란다에 나와 앉아 가정부를 기다렸다. 무도회는 강 너머에서 매일 밤 열렸다. 오늘밤은 가정부한테 아이를 맡겨야 했다. 가정부가 돌아왔고 소식을 알렸다.

"그 사람들 오늘밤에 떠날 것 같아요."

사라는 말했다. "난 그 얘긴 못 들었는데? 오늘밤은 아가씨가 집에 남아 아이를 돌봐요. 난 무도회에 갔다가 늦을 거예요."

가정부는 일단 놀랐다가 난처해했다. "곤란하게 됐네요, 오늘밤에 약속했는데."

"아가씨는 일주일에 다섯 번이나 가잖아요, 그러니 한 번쯤은…"

가정부는 사라 옆 안락의자에 맥없이 무너져 내렸다. 무도회 없는 밤의 전망에 울상이 된 채 그녀는 말했다. "알아요, 하지만 이별 볼 일 없는 동네에서 그나마 무도회도 못 가면 대체 뭘 하면서 시간을 보내야 할까요."

"그건 그래요, 밤엔 잠자는 걸 제외하면 수영을 하거나 사랑을 나누는 것 외엔 딱히 할 일이 없죠."

두 여자는 동시에 빙긋 웃었다. 가정부의 웃음엔 어떤 악의도 없었다. 그녀는 말했다.

"사실은 사실이니까요. 혹시 아홉 시에 돌아오실 순 없나요? 제가 그 후에 나가면 되니까요."

"안 돼요, 그럴 수 있다면 벌써 그렇게 했겠죠, 잘 알면서. 책을 빌려줄게요."

"꼬마는요?" 가정부는 아이를 가리키며 물었다.

"저녁 식사 때까진 내가 돌볼 테니 호텔로 데리러 와요. 그때까진 자유 시간을 갖고요."

가정부는 세관원에게 오늘밤에 외출할 수 없다고 알리러 나갔다. 사라는 한동안 베란다에 앉아 있었다. 다섯 시 가까이 되었으리라. 아이는 집에서 도로로 이어지는 시멘트 골목길에서 기차놀이를 했다. 다시 땀범벅이 되었지만 그녀는 자신의 힘으로 아이를 못 뛰어놀게 하기에는 역부족이라는 것을 알았기에 시도조차 하지 않았다. 강물엔 전날의 그 어부들이 인내와 권태의 그물을 던지고 있었다. 들판은 황량했다. 도로엔 자동차들과 15분마다 지나다니는 아이스크림 장수의 삼륜자전거 외에 개미 한 마리도 지나다니지 않았다. 삼륜자전거가 지나갈 때마다 대기가 방울 소리로 가득 찼다.

시간이 흘렀다. 어부는 통발을 꺼냈다. 그는 사라에게 안부를 묻고는 더위가 이대로 지속될 수는 없는 노릇이라며 재앙이라고 한탄했다. 채소들이 말라비틀어져 죽어가고 있다는 것이었다. 시간이 좀 더 흘렀다. 이번엔 잠깐 동안이었지만 밀도 높은 시간이었다. 자크는 돌아오지 않았다. 아마 호텔에선 이미 떠나고 없을 터였다. 이 시간까지 누구와 함께 있을 수 있겠는가? 어쩌면 낮잠을 자고 난 후에 큰 해변으로 이동하는 나머지 스물다섯 명의 호텔 투숙객들과 함께 이미 큰 해변에 가 있을지도 몰랐다. 아니면 남자와 함께 있거나. 그녀가 루디네 별장에 있었더라면 알 수 있을 일이었다. 루디네 집에선 근방에서 벌어지는 모든 일을 알 수 있었다. 하지만 사라의 집에선 세상이 어떻게 돌아가는지 전혀 알 수 없었다. 그들은 이 집에 도착한 뒤로 그 사실이 늘 아쉬웠다. 오늘 오후, 사라에게는 유독 그랬다. 그녀는 좀더 기다렸다. 그리고 다시 한번 멀리 강 건너 옥수수 밭에서 조명등에 반짝이는 무도회를 떠올렸다. 파에스툼의 붉은 화강암 열주들이 드리운 그늘 속에서 일몰을 받으며 잠든 물소들을 깨워 놀라게 하는 상상도 했다. 하지만 새로운 욕망과 새로운 세상을 한꺼번에 대체할 수 있는 것은 아무것도 없었다. 그녀는 자신이 다른 여자들보다 그것에 대해 더 잘 안다고 믿었다. 실은 모든 여자는 늘 다른 여자들보다 그것에 대해 더 잘 안다고 믿는다. 그녀 또한 그렇게 믿었다.

사라가 마침내 아이와 함께 집을 나서기로 마음먹었을 때는 시간이 늦어 있었다. 모자는 어부들을 구경하면서 강물을 따라 느릿느릿 걸었다. 사라는 아이에게 바다낚시에 대해 설명했다. 그들이 호텔에 이르기 직전에 바다로 나가는 남자의 보트 모터 소리가 들려왔다. 5시 30분쯤 되었으리라. 호텔엔 이미 아무도 없었다. 다들 모터 보트나 뱃사공의 조각배를 나누어 타고 떠났다고 했다. 자크도 마찬가지였다. 사라는 뱃사공이 돌아오길 기다리며 캄파리 한 잔을 마시고는 작은 판자 다리까지 가 보았다. 거기엔 식료품상이 있었다. 그는 난간에 앉아 호텔 투숙객들이 오가는 모습을 지켜보았다. 식료품상 또한 손님들이 남자의 보트나 뱃사공의 조각배를 나눠 타고서 강을 건너는 걸 보았다고 말했다. 그는 그녀에게 처음으로 반말을 했다. 전할 말이 있다고 했다. "장이라는 사람이 기다리라고 전해 달래. 해변까지 걸어 가지 않게 여기로 아이하고 널 데리러 온대. 그 말을 전해 줄 겸 여기 있었어. 난 이제 산에 가 봐야겠다."

"오늘이 마지막 날이에요?"

"그래. 난 사망 신고에 반대하긴 했지만 언젠가는 서명해야 된다는 걸 알고 있었어."

"집에 돌아가도 딱히 할 일이 있는 건 아니잖아요. 왜 그렇게 급하게 당장 떠나려는 거죠?"

"그런 바보 같은 말이 어딨어? 휴식도 세상의 다른 모든 일들처럼 젊어서부터 습관을 들여야 하는 거야. 그 할머니는 살면서 휴식이란 걸 해 본 적이 없어. 잘 때도 피곤에 절어 까부라지는 거지."

"맞아요, 그대로 영원히 지속될 수 없다는 걸 알게 되면, 차라리 빨리 끝나길 바라는 마음이 들 것 같아요."

"그럴 수도 있겠구나, 젊으니까. 하지만 난 아니야."

"그렇겠네요."

그녀는 건성으로 대답했고, 그는 그걸 알아차렸다.

"뭔가 슬픈 일이 있나 보구나."

"제 얼굴이 좀 그런가 봐요. 하나도 슬프지 않은데."

"해 질 무렵이 되면 종종 괜히 슬퍼지지, 그 때문일 수도 있어."

"천만에요. 게다가 해가 지려면 아직 멀었는걸요."

"네 남편하고 장, 둘이서 한참을 얘기하더구나. 무슨 얘기인지는 몰라도."

사라는 강물 쪽으로 시선을 돌렸다. 식료품상은 재차 말했다.

"무슨 얘기였는지는 나도 몰라."

"제 얘기예요."

식료품상으로서는 더 이상 놀랄 일도 아니었다.

"짐작은 했지. 두 사람, 같이 갔다."

"한 남자의 아내로 산다는 건 힘든 일이에요."

"세상엔 그런 여자들이 수두룩해."

그들은 강물을 바라보았다. 뱃사공이 홀로 조용히 그물을 던지는 어부들 사이를 헤치며 돌아왔다. 멀리 바다에서 남자의 보트 소리가 들려왔다. 10분 쯤 지나자 그가 모습을 드러냈다. 그는 강물 위에서 커다란 원을 그리더니 전속력으로 다가왔다.

식료품상은 말했다. "둘이 같이 있구먼."

아니나다를까, 뱃머리에 두 남자의 실루엣이 보였다. 그녀는 아이를 안아 올려 그들을 가리켰다. "저 배 타고 바다에 가자."

아이는 까르르거리며 그녀의 품에서 빠져나와 신이 나서 폴짝폴짝 뛰었다. 식료품상은 늘 그렇듯 강물 위를 미끄러지는 배의 움직임에만 정신이 팔렸다.

그녀는 재차 말했다. "저 배 타고 바다에 가자, 그 다음엔 수영하자, 그리고 그 다음엔 루디 아저씨랑 공놀이하는 거야."

"저런 모터 보트의 좋은 점은, 힘들게 노 저을 필요가 없다는 거지."

아이가 말했다. "엄청 빨라요."

"그래, 게다가 빠르기도 하고. 하지만 바다 어디로 간단 말이냐? 문제는 바다 위엔 갈 데가 없다는 거야."

사라는 말했다. "그래도 짧은 여행은 할 수 있잖아요."

그녀는 아이를 다시 안았지만 아이는 이번에도 빠져나갔다. 아이의 관심사는 온통 배였다.

식료품상은 말했다. "가끔은 나도 인생에서 뭔가를 기대하기도 해. 여름엔 더러 저런 배를 꿈꾸고…. 아니면 작은 차도 좋고…."

"안 될 게 뭐예요?"

"그랬다가 바다 한복판에서 모터라도 터지면?"

사라는 듣고 있지 않았지만, 아이는 들었다.

아이가 대답했다. "난 수영할 줄 알아요."

식료품상이 대답했다. "할아버진 못 해."

그는 아이처럼 배를 바라보다가 말했다. "이런 강에서 저렇게 빨리 달리다가는, 모래사장이 저렇게 많은데, 두고 보라지…."

아이는 물었다. "뭐가요?"

"아무것도 아니다." 그는 아주 낮은 목소리로 덧붙였다. "애한테 이런 얘기를 하다니 내가 고약스러워진 게 틀림없어."

아이는 식료품상에게 흥미를 잃었다.

사라는 물었다. "고약스러워지는 게 그렇게 겁나는 일이에요?"

"그보다 더 최악인 게 뭐가 있겠니?"

아이가 말했다. "늑대요, 악당이에요."

식료품상은 아이한테 말했다. "그게 말이다, 노년이란 건 너무 길거든."

그는 이제 산에 갈 시간이라고 말하더니, 사라에게 작별 인사도 없이 가 버렸다. 그가 떠난 것과 거의 동시에 배가 들어왔다. 자크와 남자는 여전히 뱃머리에 서 있었다. 둘 다 똑같이 기진한 미소를 띠고 있었다. 남자는 배를 정박시키기 위해 돌아섰다. 자크는 처음 자세 그대로 움직이지 않은 채, 피로한 미소가 아예 표정으로 굳어 버린 얼굴로 그녀를 바라보았다.

사라는 말했다. "배려해 줘서 고마워요."

두 남자는 점심 시간 이후로 호텔 캐노피 안에서, 수면과 망각을 위한 낮잠 시간에 많은 이야기를 나누었음이 틀림없었다. 그리고 선의에도 불구하고 의견의 일치를 보지 못했으리라. 자크는 남자가 배를 출발시키는 걸 거들었다. 이제 무언가가 그들을 결합시켜 주었는데, 그것은 어쩌면 풀리지 않는 갈등의 원인인 자만심, 바로 그것일 수도 있었다.

사라는 아이와 함께 배의 뒷좌석에 자리잡았다. 배는 곧 다시 출발했다. 그는 강물을 비스듬히 가르며 바다에 이르기까지, 몇 해 전부터 사용될 날만을 기다리는 듯한 크레인과 돌더미가 주르르 늘어선 다른 쪽 강가를 따라 미끄러졌다. 루디의 말에 따르면 강의 그 지점에 다리를 건설하는 문제가 계속해서 거론돼 왔다. 자크는 바람을 맞으며 물었다.

"괜찮아?"

"괜찮아."

사라는 그를 간헐적으로, 슬쩍 바라볼 수 있을 뿐이었다. 반면 자크는 카페나 거리에서 다른 여자들을 보듯, 그녀를 자세히 훑었다. 그는 자기와 함께 사는 여자, 자기 여자를 보고 있었다. 이윽고 그는 돌아서서 남자의 배 조종에 관심을 보였다. 그녀는 똑같이 등을 돌리고 선 두 남자를 보았다. 한 명은 그녀가 잘 알고 있었고 언제까지나 그럴 터였다. 다른 한 명은 아니었다. 그녀는 그를 결코 이 이상 알지 못하리라. 그는 그녀가 결코 더 이상 알지 못하게 되어 버릴 남자였다. 또 다른 남자는 그녀가 결코 알지 못할 남자가 되어 가고 있었다. 모든 삶을 동시에 다 살 수는 없어, 라고 루디는 말했었다. 두 남자에 대한 지식은 양립이 불가능했다. 아이는 그녀 곁에서 환호성을 질렀다. 배가 지나간 자리에 뚜렷이 새겨지는 긴 포말과 강 하구에서 부서지는 첫 번째 파도들만이 아이의 호기심을 끌었다. 남자는 둑 주변을 매우 크게 돌다가 돌연 먼바다를 향해 전속력으로 미끄러졌다. 자크는 서 있는 채로 놀라는 기색도 없었다. 해변이 멀어졌고, 해변과 함께 바닷가 옥수수 밭과 녹지대도 멀어졌다. 이제 그들의 침묵이 침해되었다는 것 외에는 모든 것이 제자리였고, 달라진 것은 없었다. 아이는 외쳤다. "와, 빨라, 빨라."

남자는 바람에 머리칼이 흐트러진 얼굴로 아이를 돌아보며 미소 지었다. 그는 한 손으로 알 수 없는 표시를 해 보였는데, 아마도 달리 어쩔 수 없었다는 뜻인 듯했다. 그는 다시 몸을 돌려 앞을 보았다. 자크는 여전히 남자 뒤에 선 채 꼼짝도 하지 않았다. 아이가 외쳤다. "더 빨리!"

남자는 다시 아이를 돌아보며 이보다 더 빨리 달릴 수는 없다고 외쳤다. 사라는 양팔로 아이를 감싸 바람으로부터 보호했다. 아이는 두 눈을 감았다. 이윽고 그녀도 세찬 바람에 눈이 시려 두 눈을 감을 수밖에 없었다. 그러자 바람의 울부짖음 속에서 바닷가에 서 있는 파에스툼 신전의 기둥들과 웅장한 석조 건물이 다시 한번 떠올랐다.

마침내 남자는 속도를 줄이고 큰 해변 쪽으로 단번에 커브를 틀었다.

친구들이 그들을 기다리고 있었다.

사라는 다이아나에게 아이를 맡기고 곧장 바다로 뛰어들었다. 남자는 자크의 도움을 받아 배를 해변에 올려놓은 뒤, 사라와 마찬가지로 곧장 바다로 달려갔다. 하지만 사라와 반대 방향으로 헤엄쳐 갔다. 그는 전력을 다해 헤엄치며 빠르게 멀어졌다. 사라는 유연하고 섬세한 남자의 몸이 물속으로 사라지는 것을 지켜보았다. 아이는 다른 아이들에게로 가서 함께 파도 속에서 빨리 달리기 놀이를 했다. 다이아나와 루디와 지나는 이야기를 나누었다. 모든 것이 평소와 다름없게 보였다. 다만 지나가 눈앞의 모든 일에 시큰둥한 척하려 하는 점만이 달랐다. 루디도 마찬가지였다. 다이아나는 늘 그랬듯 이번에도 무슨 일이 일어나고 있는지 단번에, 완벽하게 알아차렸고 각자의 고통과 사랑 문제에 대해서는 자신도 무력하다는 것에, 역시 늘 그랬듯 고통스러워했다. 자크는 바닷물 속의 사라에게로 갔다. 그는 말했다.

"배영을 해 봐."

"백 번도 더 해 봤는데 소용없어. 세상엔 그런 것들이 있어."

"어쨌든 해 봐, 당신이 배웠으면 해."

"절대 배울 수 없는 것들이 있다니까, 소용없어."

그는 포기했지만, 이번엔 화내지 않았다. 그는 그녀 옆에 붙박이처럼 서 있었다. 그녀가 팔을 휘저어 나가면 따라갔고, 멈춰 서면 멈춰 섰다.

그는 말했다. "호텔에 갔었어. 그 친구가 아직 거기 있더라고. 같이 얘기 좀 했어."

그녀는 대답하지 않았다. 그녀는 몇 번 더 팔을 휘저었다가 아니나다를까 또다시, 멈춰 섰다.

"난 절대 수영 못 배울 것 같아."

"날 이해하려고 해 봐."

"무슨 얘길 하는 건지 모르겠네."

"나도 애초에 그 친구랑 얘길 하려던 게 아니라고. 이 얘기로 당신을 더 이상 성가시게 하기 싫어서 집에서 나가려고 호텔로 갔던 거야. 그랬는데 그 친구가 캐노피에 아직 혼자 있더라고. 자제하려고 10분은 버텼을 거야, 하지만 도저히 말하지 않을 수 없었어."

그녀는 다시 물속에 잠겼다. 그녀로서는 열 번 정도 팔을 휘젓고 나면 몸을 다시 일으키지 않을 수 없었다. 그가 다가왔다.

"그 친구와 시시콜콜 이런저런 얘기를 나눴어."

그녀는 다시 헤엄을 쳤다가 어김없이 멈춰 섰다. 그가 자동인형처럼 그녀를 따라왔다.

"우리 둘 다 당신 이름은 입에 올리지 않았어."

그녀는 그를 바라볼 엄두가 나지 않았다. 그는 그녀한테 시선을 고정한 채 계속 얘기했다.

"그 친구가 자기 얘기를 하는데, 듣다 보니 누구… 였는지도 잊고 듣고 있더라고, 내가."

그녀는 다시 한번 팔을 휘저으며 조금 앞으로 나아갔다. 하지만 멈춰 섰고 그만큼 지쳤다.

"그 친구한테 아무 말도 하지 않겠다고 다짐했지만, 그러지 못했어."

남자가 그들 부부에게 시선을 고정한 채, 멀리서 다가오고 있었다. 자크는 그를 보지 못했다.

"혼자 앉아 있는 걸 보는데, 어쩔 수가 없었어. 어떤 사람인지 좀 알고 싶었지, 그래도 내 아내랑…."

그녀는 말했다. "아! 수영을 잘할 수 있다면 얼마나 좋을까."

"그래도 내 아내랑 매일 밤을 함께 보낼 사람이니까, 내가 파에스툼을 여행하는 동안 말이야."

그녀는 말했다. "그럴 필요 없었어. 나도 같이 파에스툼에 갈 거니까."

그는 문득, 남자가 그들을 향해 다가오고 있다는 걸 알아차렸다. 그는 말했다.

"아니, 당신은 파에스툼에 안 갔으면 해."

그는 남자를 바라보았다.

"이젠 당신하고 파에스툼에 가고 싶지 않아. 한번쯤은 어떤 전기가 되는 일이 있었으면 해."

그는 조금 머뭇거리다가, 시선을 여전히 남자에게 고정한 채 말했다.

"날 이해해줘, 한번쯤은 고민의 시간을 치르도록."

"이해해."

그는 다소 방황하는 시선으로 그녀를 바라보다가 말했다.

"그러지 않고서는 우린 이 시기를 절대 극복할 수 없을 거야."

"응."

"응?"

"좋을 대로."

자크는 고개를 기울여 혐오감으로 일그러진 얼굴을 바다에 담그며 멀리 헤엄쳐 가기로 마음먹었다. 그는 바다 한가운데를 향해 남자처럼, 전속력으로 나아갔다. 지나와 루디와 다이아나도 바닷물에 다시 몸을 담갔다가 해변으로 돌아왔다. 아이는 여전히 저녁 파도를 놀이 도구 삼아 다른 아이들과 함께 얌전히 놀고 있었다. 사라는 다시 한번 배영을 시도했다. 다른 이들은 그녀의 오른쪽, 아이들이 놀고 있는 곳 부근에 있었다. 자크는 이미 멀리 나갔다. 그는 늘 투쟁하듯 헤엄친다. 남자도 자크와 반대 방향으로 계속해서 헤엄쳐, 전에 없이 어떤 망설임이나 조심성도 없이 곧장, 그녀에게 다가오고 있었다. 태양은 이제 산밑으로 떨어졌고, 바다는 붉게 물든 하늘 아래서 검게 빛났다. 남자가 그녀 곁에 이르러 물 밖으로 몸을 일으켰다. 그도 자크 쪽을 바라보았다. 그의 얼굴도 자크처럼 혐오감과 피로로 일그러졌다. 그는 한동안 자크를 바라보다가, 그녀 쪽으로 몸을 돌리고는 말했다.

"둘이서 한참 동안 얘기했어."

그녀는 그의 맞은편에서 바다에 누워 있었다. 하늘을 배경으로 홀로 우뚝 선 그가 시야에 똑똑히 들어왔다.

"그냥 그대로 있어." 그는 이제 더는 자크를 보지 않고, 그녀만을 보았다. 그리고 말했다.

"오늘밤이야."

그녀는 몸을 바로 세웠다. 그가 다가왔다. 그녀는 뒤로 약간 물러났다. 그가 말했다.

"당신을 간절히 원해."

목소리에 약간의 피로감이 남았을 뿐, 그는 평소의 어조를 되찾았다. 그녀는 이제는 어둠에 잠겨 물을 흠뻑 준 농토에서 올라오는 수증기로 뒤덮인 평원 쪽을 돌아보았다.

"우린, 많은 말을 나눌 시간이 없었어."

그도 평원 쪽을 돌아보았으나 이내 다시 그녀 쪽으로 시선을 돌렸다.

그는 말했다. "남의 얘기를 들어 줄 줄 아는 사람이더라고. 두 시간도 더 떠들 수 있겠더라…."

"알지."

이번엔 그녀가 자크를 바라보았다. 그는 여전히 멀리서 맹렬하게 헤엄치고 있었다. 그녀는 그와의 추억을 떠올리며 미소 지었다.

그녀는 말했다. "호기심이 엄청나게 많은 사람이야. 당신 얘기를 들으면서 당신이 누구였는지도 잊었대." 그녀는 덧붙였다. "파에스툼 얘기도 했어?"

그의 목소리에 망설임의 검은 베일이 드리워졌다.

"그 얘기도 했지. 파에스툼하고 그 주변에 대해 많은 걸 물어 봤어."

"내일 파에스툼에 간대."

"그 얘기는 나한텐 안 했어."

그들은 서로를 바라보았다.

그녀는 말했다. "나도… 나도 거기에 가 보고 싶어. 당신이 바다며 그 주변이며 물소들에 대해 이야기하는 바람에…."

그는 그녀의 전신을 시선으로 단번에 죽 훑었다. 그녀는 덧붙였다.

"무슨 의미인지 잘 알 거야."

그가 양팔을 들어올렸다가 이내 다시 무력하게 툭 떨어뜨렸다.

그는 말했다. "견디기 힘들어, 그건. 생각만으로도."

그가 마치 목을 조르려는 듯 양손을 펼쳐 올린 채로 그녀를 바라보았다.

그는 말했다. "당신과 한 번 더 사랑을 나눌 수 없다는 생각은… 한 번만… 더…."

그는 여전히 양손을 펼친 채로 서서 그녀의 대답을 기다리지 않고 선언했다.

"당신이 원하기만 하면 되는 거야. 오늘밤에 내게 오면 돼."

자크는 그들의 오른쪽에 있는, 해변에서 쉬고 있는 나머지 사람들한테 가고 있었다.

그녀는 말했다. "그만 가자."

"오늘밤에 정말 오지 않을 생각이야?"

"내가… 그것 말고는 원하는 게 아무것도 없을 만큼 간절해야 될 거야."

"그 사람하고는, 그래 봤어?"

"그 사람하고는, 한 번, 그랬어."

"그 사람하고는, 그런 감정을 경험해 봤다고?"

"그래. 그만 가자."

그들은 서로 1미터 간격으로 떨어져서, 시간을 좀더 벌 심산으로 사람들 쪽으로 돌아가지 않고 곧장 해변으로 헤엄쳐 갔다.

그는 말했다. "나도 아내가 있어, 나 역시 그런 감정을 이미 경험해 봤다고. 그리고 그걸 다시 경험해 볼 수도 있다고 생각해."

"그렇다면 당신은 이젠 아내가 없는 거나 마찬가지겠지."

"그럴지도 모르지. 당신은 상당히 이성적인 사람이군."

"자크와 나, 우리가 이성적이진 않아, 오히려 정반대일 거야."

그들 앞에 펼쳐진 옥수수 밭이 산들바람에 윙윙거렸다. 이 무렵 강 이쪽의 더위는 추억이 되기에 충분했다. 무엇보다 물을 흠뻑 받은 농토를 대기가 감쌀 때는. 그는 구름 한 점 없는 하늘을 배경으로 우뚝 선, 여전히 햇빛으로 환한 산꼭대기를 바라보았다. 그는 말했다. "6시 반이야. 세 시간 반 후엔 당신은 저기, 평원 쪽에 있을 수도 있었겠지."

그녀는 자크를 바라보았다. 그는 그들에게 신경쓰지 않는다는 듯 그들 쪽을 거들떠보지도 않은 채 루디에게 갔다.

남자는 말했다. "그 생각을 하니 가슴이 아파."

그녀는 말했다. "아직 그렇게 생각할 수 있다는 건 좋은 거야."

"뭐가?"

"우리가 그럴 수 있었다고 생각하는 거. 오늘밤까진 계속 그렇게 생각할 수 있잖아."

물을 먹은 농토의 강렬한 향기가 훅 끼쳐 와 바다 냄새까지 뒤덮었다. 그것은 경이로운 비의 냄새, 해갈의 냄새였다.

그는 말했다. "대체 무슨 일이 있었던 거야?"

"첫날, 당신이 여기 온 그날, 당신 꿈을 꿨어."

그는 천천히 주먹을 쥐었다. 그들은 멀리서 두런거리고 있는 친구들을 바라보면서 서로 1미터 간격을 유지한 채 낮은 소리로 이야기하고 있었다.

그녀는 말했다. "심지어 요즘도, 당신에게 말하고 있는 이 순간도, 저기 있는 저들과 함께 있을 때도… 여전히 그럴 수 있을 거야…"

강 건너에서 여전히 햇빛을 받고 있던 산봉우리가 해수면에서 너울거리다가 완전히 사라졌다.

그는 머뭇거리더니 매우 낮은 소리로 불쑥, 말했다.

"들어 봐… 당신에게 아무것도 요구하지 않아. 다만 당신이 올 때까지 무도회장 카페에서 계속 기다리겠다는 말만 할게."

"불륜에 첫날밤이란 존재하지 않아."

"알고 싶지 않아, 아무것도 요구하지 않아. 마지막까지 난 무도회장 카페에서 기다릴거야."

그는 그녀가 대답하려는 줄 알았고, 서둘러 말했다.

"대답하지 마."

그들은 더는 아무 말도 하지 않았다. 그들은 금세 다른 이들에게 합류했다. 자크는 차분해 보였고, 평화로워 보이기까지 했다. 그는 루디 옆에 누워 담배를 피우고 있었다. 평원에 보이던 해가 완전히 기울었다. 날은 온화했다. 수영을 하고 나서 어두워지기 시작하는, 하루 중에 유일하게 다시 살아난 기분이 느껴지는 시간이었다. 사라는 루디와 다이아나 사이에 누웠다. 다이아나 역시 누워서 담배를 피우고 있었다. 남자는 루디 옆쪽에 조금 간격을 둔 채 앉았다. 루디와 지나는 또다시 미국 여행 얘기를 하고 있었다. 지나는 여전히 미국에 갈 생각이 없었다. 그녀는 여전히 오직 집에서 조용히, 조용히 지내고만 싶어했다. 루디는 화가 나 있었다. 자크는 아무 의견이 없어 보였지만, 다이아나는 달랐다.

"난 여전히 사람들을 각자 내키는 대로 살도록 내버려두는 게 가능하다고 믿는 사람이거든."

아무도 토를 달지 않았다. 지나조차. 침묵이 흘렀다. 잠시 후 다이아나는 기억을 더듬는 듯한 어조로 말을 이었다.

"어제 뭐라고 했더라? 백인이 흑인에 대해 갖고 있는 지식보다 흑인이 백인에 대해 갖고 있는 지식이 더 많다고 했던가?"

루디는 대답했다. "응, 말하자면… 또 왜 그러는데?"

다이아나는 분노하고 있었지만 전혀 내색하지 않았다. 그녀는 말했다.

"아무것도 아냐. 그냥 생각나서. 그뿐이야."

자크는 다이아나에게 살갑게 웃으며 말했다. "생각할 거리도 아냐. 너도 잘 알잖아. 루디가 아무 말이나 하는 거. 아무 뜻 없이 한 말이라고."

지나가 끼어들었다. "누가 알아? 정말 아무 뜻 없이 한 말이라는 걸 누가 아냐고?"

루디는 껄껄거리는 동시에 꺽꺽거렸다. 그는 자크에게 말했다.

"내가 네 맘에 안 드는 말을 하면, 너한텐 장난으로 아무 생각 없이 하는 말이 되는구나."

자크는 말했다. "너무나 멍청한 말이라서. 그런 생각을 하고 그걸 말로 표현한다는 게 말이 돼?"

루디는 여전히 껄껄거리면서 외쳤다. "내가 그렇게 멍청한 게 좋다면? 그게 나의 주인과 노예의 변증법이라면 어쩔 건데?"

자크는 천천히 말했다. "그렇다면 세상은 되는대로 굴러가게 내버려두자. 우리가 상관하지 말고. -그는 문득 슬픔에 사로잡혔다- 핵심은 이거잖아, 흑인의 백인에 대한 지식이 백인의 흑인에 대한 지식보다 크다는 거, 그러니까 세상은 되는대로 굴러가게 내버려두고 온갖 폭력도 일어나든지 말든지 상관 말고 내버려두자고."

사라는 루디 앞에 누웠다. 배의 닻을 올리러 갔던 남자가 돌아와 지나 곁에 앉았다.

다이아나는 말했다. "모든 해방엔 어떤 핑계로도 절대 잊어서는 안 되는 억압이 있어."

자크는 토를 달지 않았다. 다이아나와의 대화를 피하려는 기색이 역력했다. 그는 오직 루디가 했던 어처구니없는 말에 집중한 나머지 최근 며칠간 이어진 자신의 문제를 까맣게 잊었다. 그는 그런 사람이었다.

자크는 말했다. "오! 멋진걸, 지배자의 변증법이라니." 그는 겸연쩍게 머리를 긁적이는 루디를 보며 껄껄거렸다.

루디가 설명했다. "내가 말하고 싶었던 건, 우리 시대가 아무리 끔찍해 보인다 해도 대체할 수 없는 소중한 가치를 지니고 있다는 거였어. 그뿐이야. 물론 세상은 변화해야겠지. 하지만 더러 세상이 변하면 안 된다고 말하는 것도 필요하다고 생각해. 난 그래."

자크는 말했다. "그렇다면 이의 없어."

다이아나는 말했다. "설령 그렇지 않다 해도 너흰 사이좋을 거야, 넌 루디가 무슨 생각인지 루디 자신보다 더 잘 아니까."

자크는 말했다. "난 루디가 ─그는 또박또박 발음했다─ 그런 식의 생각을 할 수 없는 사람이란 걸 알고 있었어."

다이아나는 말했다. "너의 통찰력에 머리가 다 어질어질하다, 그 깊이에…"

자크는 말했다. "아니야. 난 그저 사람들을 이해하기 위해 내가 할 수 있는 걸 하는 거야."

사라는 말했다. "이제 둘이 의견 일치도 봤으니 아무 문제 없는 거지? 이 이상 더 얘기할 필요 없지?"

루디는 물었다. "그런데 오늘밤에 왜 다들 이 모양이야?"

사라는 말했다. "뭐가? 아무 문제 없어."

지나는 말했다. "난 그만 갈래. 이런 대화라면 이젠 신물이 나, 그리고 완전히 깜깜해지기 전에 노인들한테 가 봐야 돼."

루디는 말했다. "미국 여행 얘기는 언제 다시 해야 좋을지 말해

줘, 정확한 날짜랑 시간이랑."

지나는 말했다. "다음 세상에서 말해 줄게. 알았지? 그 전엔 싫어. 당신은 화내고, 언쟁하고, 논쟁하는 게 좋은 거야. 뭔가를 하고 싶지 않은 의사가 이토록 명확한데, 거기에 뭘 더 묻느냐고?"

루디는 팔을 휙 치켜들며 벌떡 일어났다가 다시 팔을 떨어뜨리더니 신음을 흘리며 털썩 주저앉았다. 지나는 일어나 떠나려다가 결정적인 발견이라도 한 듯 되돌아왔다. 그녀는 남자 쪽으로 가서 분노에 찬 목소리로 말했다.

"거기, 그쪽은 미국에 가 봤죠? 아니에요?"

"네. 가 봤죠."

"그럼 저 인간한테 미국에 가면 원하는 여자들을 죄다 만날 수 있고, 원하지 않는 여자들까지 만날 수 있단 얘기를 왜 해 주지 않나요? 당장 얘기해 줘요."

남자는 말했다. "문제는 그게 아닌 것 같지만, 그래도 원하시면 제가 얘기하죠."

지나는 멈칫했다가 이내 본모습을 회복했다. 아무도 더는 웃지 않았다.

남자는 말했다. "그럼 얘기하겠습니다. 미국에 가면 세계 어디에서나 마찬가지로, 도처에서 원하는 모든 여자들을 만날 수 있어요." 그는 덧붙였다. "원하기만 하면 되죠."

지나는 루디에게 말했다. "들었지?" 그녀는 아주 살짝 동요했다. 루디는 다시 한 번 고함을 내지르며 벌떡 일어났다. 그는 지나 앞에 버티고 서서 악을 썼다.

"내가 원하는 게 너라면, 나쁜 년! 그럼 어쩔 건데? 내가 원하는 게 너 같은 독한 년이라면 어쩔 거냐고?"

지나는 행복한 웃음을 터뜨렸다. 그녀도 악을 썼다.

"그리고 난 날마다 젊어지는 남자랑 사는데 신물이 난다면? 날마다 새로운 미친 짓을 고안해 내는 남자랑 사는데 진절머리가 난다면?"

루디는 다시 앉더니 좌중에 조용히 선언했다.

"다들 들었지? 저 여자에게 여행은 미친 짓이야."

지나는 말했다. "망할, 난 갈래."

그녀는 가 버렸다. 다이아나는 콧노래를 흥얼거렸다. 자크는 몹시 지쳐 보였다.

루디는 사과했다. "미안해."

자크는 부드럽게 말했다. "뭐가. 커플로 사는 건 피곤한 일이야. 어느 커플이든."

루디는 말했다. "난 너랑 같이 갈게." 그는 서글퍼졌고, 자크의 팔을 잡았다.

아이는 말했다. "난 배로 갈래."

다이아나는 사라를 보며 말했다. "난 모르겠네."

사라는 뱃사공의 배를 타기를 고집했다. 루디와 자크, 결국 다이아나까지 세 사람은 남자의 배를 탔다. 사라는 그들에게 아이를 맡겼다. 그들이 멀어지며 루디가 하는 말이 들려왔다. "오늘은 사라까지 저기압이군." 자크는 아무 말도 하지 않았다.

사라는 그들보다 조금 늦게 호텔에 도착했다. 남자는 이미 방으로 올라가고 없었다. 그의 배가 작은 부교에 정박해 있었다.

다이아나는 말했다. "그 사람은 빼고 가자, 자긴 가고 싶지 않다고, 노인들 얘기도 이젠 좀 지친다고 하더라고. 이해가 돼."

아무도 대답하지 않았다. 사라는 캐노피에서 기다리던 가정부에게 아이를 맡겼다. 그들은 캄파리를 마실 여유도 없이 거의 도착하자마자 바로 출발했다. 벗어날 수 없는 어떤 의무감에 사로잡힌 사람들 같았다고 할까.

루디와 지나는 미국 여행 건으로 아직 서로에게 화나 있었고 이 문제는 아마 돌아오는 길에 다시 한 번 거론될 터였다. 지나는 여느 때와 다름없이 친구들을 앞질러서 혼자 걸어갔다. 자크는 그녀를 따랐다. 다이아나는 사라의 뒤에서 걸었다. 그녀는 해변에서와 같이 여전히 생각에 잠겨 있었고 슬픈 얼굴이었다. 산에는 거의 어둠이 내려앉았다. 서쪽에서 아직 푸르스름한 빛이 비쳐 들었다. 바람은 더위를 누그러뜨리지 못했다. 불타는 대지와 식물들로부터 더위가 범람했다. 탄내와 시네라리아 향도 여전했지만 이제 더는 눈이 시리진 않았다. 멀리 화재의 진원지에서 여전히 타닥타닥 소리가 났다. 이따금 불길 속으로 소나무가 쓰러져 타면서 펑, 하는 총탄 소리와 함께 터졌다.

루디는 돌연 말했다. "왠지 몰라도 오늘밤은 이 산 전체를 불태워 버리고 싶다는 생각이 드네."

식료품상이 캠핑용 전등 한 개와 이불 두 채를 갖고 왔다. 그는 밤에 비가 올 것을 우려했다. 그는 젊은 신부에게 단조로운 어조로 말하고 있었고, 신부는 식료품상의 말을 듣고 있지 않았다. 노파는 신부의 말에 약간 관심을 보였다. 식료품상은 아직 캠핑용 램프에 불을 붙이지 않았고, 그들은 하얀 벽이 만든 하얀 어둠 속에서 이야기하고 있었다. 지나와 루디는 신부에게 짤막한 인사말을 던졌다. 그들은 아는 사이였다. 그는 강 너머 마을의 신부였다. 지나는 말했다. "안녕, 알퐁스?"

신부는 대답했다. "안녕하세요?" 그는 갑자기 많은 사람들이 들이닥치자 당혹스러워했지만, 용기를 내어 담화를 이어 갔다.

"하느님 앞에 서명하시라는 게 아닙니다. 이건 아무것도 아니에요. 자비로운 하느님께서 허락하신 속세의 의무라고 할까요. 그러니 서명하셔야 합니다. 신의 어머니인 성모 마리아가 할머니 처지였더라도 서명하셨을 거예요."

노파는 신부의 말을 들었고, 노파의 남편은 그를 바라보았다. 노파의 남편은 부드럽게 말했다. "서명할 거예요."

식료품상은 일행에게 설명했다. "세관장이 보낸 신부요."

신부는 말했다. "나는 어려움에 처한 모든 분들을 위해 쓰입니다. 내 모든 어린 양들을 위해서도 그렇듯, 나는 누구의 명령으로 움직이는 사람이 아닙니다. 내가 이 자리에 있는 것은 이것이 내 의무이기 때문입니다."

식료품상은 설명했다. "신부가 비누상자에도 신의 가호를 빌어줬소." 그는 신부를 돌아보았다. "내가 널 안 지 20년째야, 그러니까 세관장이 보낸 건지 아닌지 얘기해 봐."

정오부터 제복 차림으로 견디고 있는 더위에 멍해진 두 세관원은 옷을 완전히 풀어헤친 채 그들의 말을 듣고 있었다. 그들 중 하나가 말했다.

"그걸 알아 뭐하시려고요?"

식료품상은 좌중을 향해 말했다. "들었죠? 세관장이 보낸 거라니까. 내 그럴 줄 알았지. 이봐, 알퐁스. 내 어린 양들이라고 했니? 그래, 다 좋은데 이 할머니는 여기 분이 아니야, 그러니까 너의 어린 양이 아니라고."

신부는 못 들은 척했다. 그는 오직 노파만을 바라보며 말을 이었다. "성모 마리아를 생각해 보세요. 골고타에서 사흘 낮 사흘 밤을…"

노파가 말했다. "맨날 똑같은 소리."

식료품상은 중얼거렸다. "어휴, 저런 멍청이를 봤나, 어휴, 멍청이. 상멍청이…"

노파는 텅 빈 시선으로 사람들의 이야기를 듣고 있었다. 노파의 남편은 아내를 곁눈질하며 행여 아내한테 상처 될 말이 나올세라 은근히 조바심쳤다. 그는 재차 말했다.

"서명할 거예요. 이젠 하겠대요."

노파는 희미하게 고개를 끄덕여 수긍했다.

식료품상은 말했다. "게다가 넌 사제야, 이런 종류의 서명이 네 의무랑 무슨 상관인 게냐?"

지나는 물었다. "엄마는 잘 지내셔?" 그녀도 좌중에 설명했다.

"나도 이 애가 어렸을 때부터 봐 왔어요."

식료품상은 말했다. "그렇죠, 이 애 모친은 애를 남의 집 정원에 보내 토마토를 훔쳐 오게 하곤 했죠. 아마 마을에서 제일 씩씩한 위인일 거요. 지금은 이 녀석이 자기네 성당에서 종을 치도록 시키고 있답디다."

지나는 재차 물었다. "엄마는 어떻게 지내셔?"

신부는 수줍어하며 대답했다. "많이 늙으셨죠. 아주머니가 할머니께 서명해야 된다고 말씀 좀 해주세요."

지나는 대답했다. "네가 직접 하렴, 엄마한테 언제 한번 내가 뵈러 간다고 말씀드려. 네가 엄마한테 어떻게 하는지, 훔친 토마토로 키운 대가를 치르게 하고 있는 건 아닌지 확인하러 간다고. 어째, 너랑 행복하게 지내실 거 같지가 않아서 말이야. 알퐁스."

알퐁스는 웃으려고 했다. 나머지는 웃었다. 노파는 지나가 입을 열기만 하면 얼굴에서 미소가 떠나지 않았다.

루디는 소리를 낮춰 말했다. "또 저 노인네들 걱정, 자기가 온 동네 노인 안부를 죄다 파악해야 직성이 풀린다니까. 병이야."

세관원들은 그들이 온 것이 내심 반가웠다. 지루해서 주리가 틀릴 지경이었으니 심심풀이가 될 만한 게 있으면 뭐든 놓치지 않고 달려들었다.

둘 중 나이 어린 세관원이 다이아나한테 말했다. "제 생각엔 할머니가 스스로도 이유조차 모르면서 무조건 서명을 안 하시는 거예요. 우리만큼이나 할머니 자신도 이유를 모른다니까요."

다이아나는 대답했다. "우린 이해해요."

세관원은 악의 없이 비꼬았다. "이해하고 말고 할 게 없는데, 뭘 이해하신다는 거예요?"

"세관원들이 하는 일이라면 뭐든 딴지 거는 거, 그걸 이해한다는 거죠."

루디는 소리를 낮춰 말했다. "그게 다 날 엿 먹이려는 수작이지.

노인네들 일이라면 온갖 참견 다하고 다니는 거, 그게 다 날 엿
먹이려는 수작이고, 그뿐이야. 분명히 말하지만 저 여자는 노인
네들을 싫어해."

자크는 말했다. "세상에 남한테 엿 안 먹이고 사는 사람이 어딨
나? 노인네들 갖고든, 다른 걸로든?" 그는 사라를 돌아보며 미소
지으려고 애썼다.

식료품상은 알퐁스에게 말했다. "노인들 좀 그냥 내버려둬라, 가
서 신자들 고해성사나 들으라고. 이건 너랑 아무 상관없는 일이
다. 할아버지가 서명하신다잖아. 괜히 네가 이런 일까지 떠맡지
마라."

알퐁스는 말했다. "지나 아주머니, 아주머니의 친절이 이분들을
잘못된 길로 이끌고 있어요."

식료품상은 말했다. "입 다물어, 알퐁스."

지나는 말했다. "그래, 입 다무는 게 좋겠다. 내가 네 엉덩이를 걷
어찰 거 같거든, 알퐁스."

루디는 소리를 낮춰 말했다. "봤지? 저 성질머리. 온 동네에 멍청
이라고 소문난 알퐁스하고 아웅다웅하는 거. 저 여자는 매일 누
구랑 싸워야 직성이 풀리나 봐."

알퐁스는 말했다. "어쨌든 자식의 파편을 수습하신 건, 묘지에 묻
어 주고 싶어서잖아요. 그래요, 안 그래요, 지나 아주머니?"

식료품상은 말했다. "깨진 걸 모으는 건 습관이지, 그건 그렇게 이해해야 해. 네가 생활하며 아주 작은 경험이라도 해 봤다면 알 수 있었을 거야. 온전한 뭔가 깨졌을 때 사람들은 그 조각들을 주워서 합쳐 놓는단다. 무덤은 나중 일이야. 나중에 하게 되는 생각이라고."

알퐁스는 말했다. "이건 물건 조각이 아니고 사랑하는 아들이잖아요." 그는 반사적으로 노파에게 말했다. "서명을 안 하시면 그만큼 무덤도 늦어지는 거예요."

자크는 말했다. "계속 저러면 내가 한 대 칠 거 같은데. 이봐요, 할머니 좀 가만 놔둬요."

질겁한 노파가 양손을 들어올렸다. 그녀의 시선에 백 년의 세월을 거슬러 올라가는 분노에 대한 공포가 어렸다. 그녀는 애원하는 눈길로 자크를 보았다.

"죄송합니다." 자크는 노파의 남편에게 사과했다.

그는 자크에게 호감을 표하고 싶은 마음과 신부에 대한 모독이 될지도 모른다는 두려움 사이에서 결국 아무 말도 하지 않은 채, 그저 호의적인 시선으로 자크를 바라보고 있었다.

식료품상은 말했다. "전등을 켜야겠어."

그는 앓는 소리를 흘리며 일어나 전등의 심지를 바로 세우는가 하면 손수건으로 유리를 닦더니, 불을 붙이고는 말했다. "이로써 다시 안 해도 될 한 가지 일이 끝났군."

노파는 전등 불빛에 눈이 부신 듯 시선을 손등으로 떨구었다가 양손을 들어 올려 빛을 가렸다. 그녀의 두 눈은 다른 사람들과 마찬가지로 빛났지만 초점을 잃은 눈이었다. 그 눈이 자기의 손등과 비누상자를 번갈아 옮겨다녔다. 한 세관원이 자기 동료와 가정부의 관계에 대해, 듣지도 않는 다이아나에게 떠벌렸다. 비누상자 위엔 점심으로 먹고 남은 토마토 파르시며 포도주며 오렌지며 루디의 담배 한 갑 같은 것들이 놓여 있었다. 노파는 그것들을 멍하니 바라보다가, 이윽고 자기 손을 바라보았다. 굳은 흙과 피가 때처럼 덕지덕지 끼어 있었다. 까맣기는 얼굴도 손보다 덜하지 않았다. 그리고 그녀는 다시 비누상자를 바라보았다. 바로 그 순간 모든 이들이 자식을 잃은 슬픔으로 여전히 고통스러워하는 노파의 두 눈을 보았다. 신부는 할머니가 사망신고서에 서명하도록 설득할 말을 찾는 일에 골몰했다. 먼저 입을 연 것은 노파의 남편이었다.

그는 식료품상에게 느닷없이 말했다. "그래서 가게를 늘린 다음엔?"

식료품상은 대답했다. "아! 그랬죠. 그런 다음엔 완전히 끔찍해졌죠." 그는 다른 사람들에게도 설명했다. "아내가 식료품 가게 하나로는 만족하지 않았거든. 돼지고기 가공품 선반을 원했다가, 다음엔 채소 선반을 원하는 식이었소. 결혼한 지 육 년째 되는 해였어요. 채소 다음엔 담배를 들였고, 그런 식으로 욕심이 끝도 없었죠."

노파가 어린아이의 눈빛이 되어 경청하기 시작했다.

"그래서 내가 농담을 했어요, 왜 자동차는 안 팔아? 그 사람은 전혀 웃지 않았죠, 그 어떤 것에도 웃는 여자가 아니었소. 담배를 팔면서 희미하게 깨닫게 되더라고, 그때까지도 내가 어리석었지, 아, 이 여자가 뭔가 삶이 허하구나, 그래서 그토록 돈 욕심을 내는구나. 어쩌면 나 아닌 다른 남자가 필요할지도 모른다는 생각이 들더이다. 그 뒤로 같이 시장에 가면 남자들을 가리켜 보였죠. 저 남자 좀 봐, 잘 생겼지? 내가 이렇게 말해도 그 사람은 남자들은 거들떠보지도 않고서 오직 채소만 살폈어요. 그래서 외려 내가 남자들을 보면서 누가 나보다 더 어울리려나, 저 남자일까, 이 남자일까 생각하다가 한 사람, 한 사람, 아내와 팔짱 낀 모습을 상상해 보며 미소 짓기도 했더랬죠."

루디는 말했다. "아저씬 아내를 사랑했군요, 그건 확실하네요."

사라도 동의했다. "확실해요."

지나는 촉각을 곤두세우고 들었지만, 시종일관 한결같은 회의적이고 나무라는 듯한 표정을 지우지 않았다.

식료품상은 말했다. "모르겠소, 사랑을 하긴 했는데 그 사람을 위한 사랑이었지, 나를 위한 사랑은 아니었어요. 그게 과연 옳은 사랑법이었을까? 당시에 이렇게 마음먹었소. 그래, 나의 아내를 다른 사내의 품에 안겨 주는 거야. 그땐 그런 식의 행동에 갈급했었죠. 이미 얘기했듯 최고의 선행을 베풀 기회 말이오. 아내를 다른 사내한테 보내면서 자, 네 사람이야, 라고 영웅처럼 선언하고는 홀로 표표히 사라져 식료품점으로 돌아오는 내 모습을 눈에 그렸죠."

다이아나는 물었다. "그럼, 아저씨는요?"

"나야 다른 여자랑 사는 거지. 꼭 총천연색 꿈속의 여자가 아니더라도 어쨌든 다른 여자랑 사는 상상을 했어요. 사실 누구라도 상관없었소, 나랑 여행하는 걸 좋아하는 여자면 그만이었지, 잘 골라야겠다 싶은 마음이 안 들더라고. 아내야 이미 있어 봤으니 말이오, 처는 나쁜 여자든 아니든, 내 아내라는 것만으로 내 삶을 충분히 채워 줬거든요. 그러니 난 그저 함께 여행할 사람이면 족했어요. 혼자서 여행하는 거, 그건 엄두가 나지 않았소."

루디는 지나를 쳐다보며 말했다. "이해해요. 혼자 여행하느니 차라리 안 가는 게 낫지."

사라는 말했다. "우리는 늘 그럴 수 있으리라 생각하지만 실은 그렇지 않죠."

자크는 전등을 돌아보며 미소 지었다.

지나는 말했다. "시간이 늦었어요, 스프라도 갖다 드려야…."

루디는 지나의 말을 가로막았다. "그래도 이상하네요, 그 정도로까지 고를 마음이 없었다는 게."

식료품상은 대답했다. "내가 결혼할 때 사람을 너무 골랐거든. 그러지 않아도 그럭저럭 만족하고 맞춰 살았을 텐데. 그건 지금도 내가 옳았다고 생각해. 난 선택이란 걸 경계하거든. 그때부터 고독해질 때에 대비해서 마을의 임자 없는 여자들 중에서 닥치는 대로 이 여자 저 여자 쫓아다녔지. 여행 좋아하는 여자들, 늦은 시각까지 호텔 광장을 어슬렁거리는 여자들은 모조리 다. 다른 여자들, 일을 너무 많이 하는 여자들은 근처에도 안 갔고. 그러다 보니 바람둥이로 소문나기 시작했고, 아내의 귀에도 들어갔어."

그는 말을 멈추고는 담배를 집어 들어 깊게 한 모금 빨아들였다.

루디는 물었다. "그래서, 부인이 뭐라던가요?"

지나가 말했다. "얘기하기 싫어하시면 그냥 내버려둬."

식료품상은 말했다. "아! 내 인생 얘기라면 얼마든지 할 수 있어. 내 얘기가 아니라 다른 사람 얘기처럼 느껴지거든. -그는 노부부를 돌아보았다- 어르신들도 비슷하지 않으세요? 여기에 있는 것 같으면서도 저기에 있는 것 같고, 꼭 지금 있는 여기에만 있는 게 아니라 다른 곳에도 가 있는 것 같고. 그렇지 않아요?"

노파는 충격을 받은 듯 가늘게 부들거렸다.

식료품상은 말했다. "고통스러울 땐 다르죠. 고통은 잠자다가 꼬집히기라도 한 듯 우리에게 우리가 누구인지를 아프게 상기시키니까요."

노파는 다시 한 번 부들거렸다. 정신이 돌아버렸거나, 아니면 낯선 이들 앞에서 극도로 수줍음을 타는 것처럼. 하지만 노파의 남편은 아내의 그런 모습에는 불안해하지 않는 듯 보였다. 그가 물었다.

"그래, 아내 분이 사실을 알고 나서 뭐라던가요?"

식료품상은 대답했다. "처는 가게 장사에 피해가 갈까 봐 불같이 화를 냈죠. 그 뒤로는 어떤 여자도 만나고 다니지 않았어요. 처도 남자가 없었고요. 그 사람을 원하는 남자는 아무도 없었죠. 못 생겨서 그런 건 아니고, 심지어 아내는 예쁜 편에 속했죠, 다만 그 사람을 보면서 사랑을 떠올리는 남자가 없었어요. 나 아닌 다른 남자를 만난다는 건 꿈에도 생각지 못했죠. 남자들은 아내를 보는 것만으로도 그걸 바로 눈치챘고요."

지나는 말했다. "부인은 얼마든지 그런 다른 사람을 상상했는데 아저씨가 아무것도 모르는 걸 수도 있어요. 부인이 무슨 상상을 하고 살았는지 아저씨가 어떻게 알아요?"

식료품상은 대답했다. "그런 건 눈을 보면, 알 수 있지."

지나의 말투에 다소 불안해진 노파가 그녀를 바라보았다. 지나는 노파의 눈빛을 보았고 환한 미소로 그녀를 안심시켰다.

지나는 조용히 말했다. "아니요, 눈빛만으로 모든 걸 다 알 수는 없어요."

신부는 설득을 이어 가야 한다는 생각에 초조한 기색이었으나 아무도 그에게 기회를 주지 않았다.

다이아나는 반박했다. "그래도 눈빛에서 많은 걸 볼 수 있긴 해."

지나는 말했다. "인내심은 눈에 보이지 않아. 한 남자랑 사는 긴 긴 세월 동안 발휘해야 하는 인내심 말이야."

루디는 다소 당황하며 말했다. "그건 정말 보이지 않을 수도 있지."

사라는 말했다. "의도적으로 아무것도 드러나게 하지 않을 수도 있고."

지나는 말했다. "그냥 그렇지 않다고 믿게 내버려둬."

자크는 낄낄거리며 말했다. "그래, 그게 낫겠네."

지나는 말했다. "난 늙은 몽상가들이 싫어, 역겹다고 할까. 그들은 다른 건 못 보고 오직 자기 자신만 보거든."

식료품상은 말했다. "하지만 어쩌겠어? 삶이 몽상가가 되게 하는걸." 그는 서글픈 목소리로 덧붙였다. "글쎄… 몽상해 봤자 무슨 소용일까?" 그는 다시 덧붙였다. "아, 어쨌든 쓸모가 있기는 하네, 시간을 보내는 데는."

루디는 말했다. "조금은요."

지나는 말했다. "보아하니 부인을 엄청나게 힘들게 했겠어요. -그녀는 상냥하게 말했다- 아저씨 얘기를 듣고 있자니까 그런 확신이 들어요."

식료품상은 대답했다. "당연히 힘들게 했지."

지나는 말했다. "저라도 매일 배 타고 바다로 놀러 나가는 것과 식료품점을 지키는 것 중에서 선택해야 한다면 망설여질 거예요."

루디는 말했다. "그럴 것 같긴 해, 하지만 이제 다 끝났으니⋯."

지나는 말했다. "아저씨한테는 그렇지 않다는 걸 잘 알면서."

노파는 비누상자를 다시 보기 시작했다. 그녀의 눈에서 천천히, 이유 없이, 눈물이 흘렀다. 이제껏 그녀의 눈물을 본 사람은 아무도 없었다. 모두들 침묵했다. 노파의 남편이 아내에게서 시선을 떼지 않은 채, 처음 입을 열었다. 그는 자크에게 말하고 있었다. "막내였소." 그는 상자를 가리켰다.

자크는 다정하게 물었다. "왜 떠나려고 하세요?"

"집이 우리를 기다리니까."

루디는 말했다. "그건 그러네요, 집은 중요하죠."

신부가 말했다. "못할 짓이에요, 지뢰 제거는."

식료품상이 신부를 보며 말했다. "다른 직업보다 못할 것도 없어."

노파의 남편은 말했다. "다른 직업을 알아봤었는데 군대를 다녀

온 뒤로 마땅한 자리가 없었소."

신부는 말했다. "이 지역에서 지뢰로 폭사한 세 번째 희생자예요."

노파의 남편은 다른 사람들은 안중에 없는 듯 오직 아내만을 바라보면서, 마치 신부가 아무 말도 하지 않은 것처럼 자기 얘기를 이어 갔다.

"그랬는데 우리 애가 그 일을, 지뢰 제거를 좋아했소. 왜 그랬을까?"

그는 아내에게 시선을 고정한 채 기다렸다. 하지만 그녀는 묵묵부답이었다.

"왜 그랬을까? 모른다오. 혹시 혼자 그렇게, 바닷가를 쏘다니는 게 좋았을까. 문제는 하도 다니다 보니 더는 지뢰를 믿지 않게 되고, 두려워하지 않게 되었다는 거요. 하도 다니다 보니. 똑같은 일에 늘 똑같이 조심할 수는 없다오."

그가 그토록 많은 말을 한 것은 그때가 처음이었다. 술이 몇 잔 들어간 것 같기도 했다. 아마 오후에 식료품상과 몇 잔 마셨으리라.

그는 말을 이었다. "그건 직업이라고 할 수 없소. 내가 의욕을 꺾으려고 방랑하는 직업이라고도 해 봤지만 아랑곳하지 않았지. 자식이 뭔지…. 녀석이 그 일을 시작한 두 해 전부터 우리 부부는 단 하루도 마음 편할 날이 없었소."

노파는 남편의 말을 듣고만 있을 뿐, 도통 입을 떼지 않았다. 침묵이 흘렀다.

"어쨌든… 이러나저러나 다 고통이요." 노인은 신음을 흘렸다. 그도 아내처럼 왈칵 눈물이라도 쏟을 듯 시선을 떨궜다.

사제는 말했다. "내일 미사 마치고 다시 오겠습니다. 할머니를 잘 설득해 주세요."

식료품상은 말했다. "됐어, 내일이면 서명하시고 난 다음일 테니, 괜한 헛걸음 하지 말고 그냥 있어. 내일 8시에 세관장이 서류 갖고 올 거야."

신부는 대답했다. "어쨌든 다시 올게요."

식료품상은 말했다. "누가 죽기만 하면 자기들이 무슨 의무라도 있는 양 나서기는. 오지 마라. 알퐁스. 여기 있는 사람 중에는 더 이상 그런 걸 믿는 사람이 없으니."

신부가 떠났다. 아무도 작별 인사를 하지 않았다. 다들 그를 잊었다.

지나의 가정부가 냄비와 접시를 들고 찾아왔다. 그녀는 말했다. "안 오시길래, 제가 왔어요."

지나는 말했다. "스프예요. 식기 전에 빨리 드세요."

노파의 남편은 말했다. "고맙소."

지나는 식료품상에게 말했다. "같이 드세요. 내가 왜 아저씨 식사까지 챙기는지 모르겠지만 챙길 테니까. 이해하려 들지 마시고."

식료품상은 대꾸했다. "이해하려 들지 않아. 난 득도한 이후로, 이해하려는 노력을 점점 덜하고 있다고."

자크는 말했다. "그건 아주 좋네요."

두 젊은 세관원은 고양이처럼 하품을 하면서 김이 모락모락 피어오르는 스프를 바라보았다.

지나는 말했다. "두 분은 배고프면, 얼른 내려가서 구내식당에 가면 되겠죠?"

지나의 가정부는 스프를 떠서 돌리기 시작했다. 하지만 아무도 아직 입에 대지 않았다.

식료품상은 생각에 잠겨 말했다. "올겨울에 노인네들을 찾아가 볼 수 있으면 좋겠는데…"

루디는 말했다. "뭐가 문제예요, 방해될 게 아무것도 없는데. 가게 문 닫고 가 버리면 그만이지."

식료품상은 말했다. "내가 노인네들한테 아픈 기억을 상기시킬까봐 그러지. 감히 못 찾아갈 것 같아."

노파의 남편은 말했다. "무슨 소리, 꼭 오시오. 우리 마을은 산과 바다에 동시에 면해 있소. 강이 없어서 그렇지 이 동네와 얼추 비슷하다오."

노파는 그렇지 않고 이곳과 다르다는 뜻으로 고개를 흔들었다.

남편은 말했다. "완전히 똑같진 않아도 하여간 바다도 있고 산도 있소."

노파가 말했다. "여기보다 덜 덥잖우."

남편은 말했다. "그건 그렇지. 밤낮으로 평원에서 바람이 불어오니까."

식료품상은 물었다. "그런데 제가 가서 뭘 하겠어요? 하루 종일 뭘 할 수 있을까요?"

루디는 말했다. "산책하면 되죠, 일단 와 보면 할 일이 생길 거예요, 그건 걱정도 아니네요."

"누가 알아? 내가 정말 가게 될지…."

노인은 말했다. "우리집은 마을 아래 바닷가에 있소. 광장과 붙어 있고."

식료품상은 말했다. "노력해 볼게요, 차로 가면 굉장히 가까운 거리예요. 한 시간 정도?"

루디는 말했다. "삶을 바꾸는 게 쉬운 일은 아니죠."

지나는 말했다. "삶에 대해 불평이 많은 사람들이 삶을 바꾸는데 가장 소극적이다, 유명한 말이지."

노인은 말했다. "가까우니 가볍게 다녀가면 될 것을."

지나는 말했다. "얼른 스프 드세요."

루디는 말했다. "참, 봉골레 파스타는 어떠셨어요?"

식료품상이 대답했다. "끝내줬지. 할머니가 아주 잘 드셨어. 맛있다고 하시면서."

그는 봉골레 소리에 돌연 생기를 되찾은 노파를 돌아보았다.

노파가 불쑥 물었다. "마침 묻고 싶었던 건데, 그 봉골레 말이우, 팬에 봉골레를 토마토보다 먼저 넣수? 아니면 나중에?"

자식이 죽은 뒤로 그녀가 이렇게까지 활기차다고 할 수 있는 어조로 얘기한 것은 처음이었다. 지나는 머리부터 발끝까지 전율했다.

그녀는 대답했다. "봉골레 먼저요. 봉골레를 넣고 나서 한 시간 있다가 토마토를 넣어요. 그런 다음 같이 한 시간 더 끓여요."

지나의 가정부가 끼어들었다. "그리고 샐러리도 한 대 넣으시잖아요."

지나는 피로한 듯 보였고, 아무 대답도 하지 않았다.

노파는 말했다. "그거네, 샐러리."

루디가 말했다. "샐러리는 훌륭한 채소죠. -그의 목소리가 떨렸다- 다른 건 더 안 넣었어? 지나."

지나는 대답했다. "그런 것 같아."

노파는 말했다. "소스를 오래 끓이는 것도 방법일 테고."

지나는 말했다. "그거예요, 수분이 날아가죠."

노파가 대답했다. "그렇구먼."

지나가 일어나더니 식료품상에게 말했다.

"두 분 좀 돌봐 드리세요. 스프도 더 떠 드리고요. 우린 가 봐야 겠어요. 그럼, 안녕히."

노인이 말했다. "고맙소."

노파도 가냘픈 소리로 고맙다고 인사했다.

돌아오는 길에 지나는 별안간 울음을 터뜨렸다. 루디는 이유를 묻지 않았다. 그저 그녀를 꼭 안아주었고, 그들은 그렇게 호텔까 지 천천히, 친구들 뒤에서 연인처럼 걸어 내려갔다.

자크는 모두에게 캄파리를 한 잔씩 돌렸지만, 그렇다고 신난 건 아니었다. 이날 밤엔 지나도 한 잔 마셨다. 남자가 안 보인다고, 이 시간에 안 보인다는 게 이상하다고 지적한 사람은 루디였다. 투숙 객 여러 명이 이미 식사를 시작했다.

루디는 말했다. "방에 가서 데리고 와야 하는 거 아닌가? 함께 아 페리티프를 들자고. 우리한테 화났을지도 몰라."

다이아나가 말했다. "자크가 찾으러 가면 어때?"

자크는 말했다. "저녁 먹으러 내려오겠지, 괜한 걱정이야."

루디가 말했다. "그래도. 내가 가 볼게."

그는 호텔로 들어갔다. 그가 자리를 비운 동안 문득, 지나가 말 했다.

"난 루디가 정말로 미국에 혼자 한번 가 봤으면 좋겠어. 제발 그럴 수 있었으면."

사라는 말했다. "그럴 수 있을 거야."

지나는 사라를 향해 놀람과 기대감으로 휘둥그레진 눈을 치떴지만, 사라는 더는 말이 없었다. 자크는 딴 생각에 잠겨 그들의 얘기를 거의 듣고 있지 않았다.

지나는 말했다. "말은 그렇게 해도 너도 루디가 혼자 갈 수 있을 거라곤 생각하지 않지?"

사라는 대답했다. "난 이미 본 것처럼 확신해. 그러니 이제 그 여행 때문에 더는 걱정하지 마."

지나는 다이아나를 증인 삼으려는 듯 그녀에게 미소 짓더니 말했다.

"오늘 우리 사라가 제법 사나운걸? 맘에 들어."

다이아나는 웃지 않고 말했다. "그럴지도. 어쨌든 관건은 네가 정말 원하는 걸 아는 거야."

지나는 여전히 똑같은 미소를 지으며 캄파리 한 모금을 삼키고는 말했다.

"내가 뭘 원하고 안 원하는지에 대해선 걱정하지 마. 특히 너."

루디와 남자가 나타났다. 그들은 오랜 친구처럼 이야기를 나누며 걸어왔다.

남자가 말했다. "오늘 함께 산에 못 가서 미안해요. 많이 피곤해서요."

그는 루디만큼 키가 컸지만, 좀더 날씬했다. 그는 매일 밤, 똑같은 흰색 셔츠를 입었다.

지나는 말했다. "그럴 수 있어요. -그녀는 별안간 얘기할 기분이 된 듯했다- 이 무더위에 수영을 몇 번 하고 나면 처음 며칠은 흔히들 그래요."

다이아나는 말했다. "게다가 밤은 좀 혹독해야지. 휴식이 되지 못하는 밤이라니."

남자는 다이아나 쪽을 바라보았다. 시선에 엷은 미소가 스쳤다. 그는 말했다.

"맞아요. 밤이 숨 막혀요."

지나는 캄파리를 새로 주문했다. 루디는 그 사실에 행복해했다. 자크는 세 잔째였다. 그는 잔을 비우고 나더니 불쑥, 잠에서 깨어난 듯 기지개를 켜더니 자신이 희망하는 며칠간의 짧은 여행 이야기를 다시 꺼냈다.

지나는 말했다. "아니, 다들 왜 그렇게 엉덩이가 들썩들썩하는 거야?"

아무도 대꾸하지 않았다.

다이아나는 말했다. "뭘 좀 먹어야지."

몇몇 손님들이 테이블에 착석해 있었다. 호텔 앞을 서성이던 가정부는 다이아나가 저녁 이야기를 꺼내자마자 부리나케 테이블로 다가왔다. 아이의 손을 잡고 있었다. 아이는 하품을 하더니 가정부의 손을 빼내고 테라스 난간에 기어올랐다.

"어떻게 할까요? 꼬마를 집으로 데려갈까요?"

아이는 말했다. "나 루디 아저씨네서 저녁 먹을래."

루디는 말했다. "나도. 나도 오늘 저녁은 저 녀석을 데려가고 싶네."

사라는 말했다. "호텔 식사가 형편없는 건 사실이야. 그럼 저녁 먹이고 집에 데려가도록 해요."

가정부는 물었다. "그럼 저는요? 전 어디서 먹어요?"

지나는 말했다. "우리집에서요. 아가씨 먹을 건 충분해요."

가정부는 물었다. "참! 오늘밤 일정은 변함없나요? 외출하세요?"

남자는 아무 내색도 하지 않았다. 자크는 얼굴이 미세하게 움찔거렸으나 이내 억제했다. 가정부는 늘 보여주는 기진한 표정으로 대답을 기다렸다.

사라는 대답했다. "모르겠어요."

가정부는 말했다. "그러실 줄 알았어요. 어쨌든 뭘 원하시는지는 아셔야 되는 거 아닌가요?"

사라는 대답했다. "이따가 얘기해 줄게요."

가정부는 말했다. "그게 아니라 아침엔 외출한다고 해 놓고서 이제 와서는 또…."

사라는 말했다. "아무래도 집에 갈 가능성이 커요."

가정부는 말했다. "너무하시네요."

자크는 가정부를 노려보다가 불쑥 말했다.

"누구나 의견이 바뀔 수 있어요. 두고 보면 그녀가 어떻게 할지 알게 되겠죠."

가정부는 아이의 손을 잡고 어깨를 으쓱하더니 루디 집으로 떠났다. 하지만 10미터도 가기 전에 되돌아와서 말했다.

"혹시라도 또 마음이 바뀌시면 루디 아저씨네로 연락 주세요."

사라는 대답했다. "알았어요."

다이아나가 지나가는 말처럼 얘기했다. "오늘밤에 배 타고 바다에 나갈 수 있으면 좋으련만."

남자는 말했다. "요즘은 밤에 파도가 좀 있어요. 뭐, 심하진 않지만…."

자크는 말했다. "난 네가 바다가 주는 즐거움엔 싫증난 줄 알았지."

다른 사람들도 확실히 성공적이지 못한 이번 휴가와 이 휴가를 되살릴 수 있는 방법에 대해 이야기하기 시작했다.

루디는 말했다. "내 생각에 문제는 우리가 모든 걸 너무 늦게 시작한다는 거야. 우린 저녁을 너무 늦게 먹고, 공도 너무 늦게 쳐.

그러니 아침에 늦게 일어나게 되고 수영도 늦게 가고 그야말로 악순환이지….."

다이아나가 회피하듯 말했다. "그럴지도. 하지만 살면서 우리가 너무 늦게 하지 않는 게 있기는 해? 제시간에 일어나는 건 또 무슨 의미가 있고?"

지나는 선언했다. "새 시대의 도래를 위해 당장 오늘 저녁부터 일찍 먹어 보자." 그녀는 루디에게 말했다. "어때?"

그들은 떠났다. 많은 사람들이 이미 식사를 하고 있었다. 남자는 평소대로 그들 옆 테이블에 혼자 앉았다. 이번에도 메뉴는 스프와 생선구이였다. 그들은 말없이 스프를 삼켰다. 자크도, 남자도 마찬가지였다. 이어서 생선구이가 나왔다. 자크는 음식을 한참 동안 바라보다가 접시를 들어 테이블 가장자리에 놓았다.

그는 말했다. "이번엔 안 되겠어. 이제 그만. 더는 못 먹어."

다이아나도 말했다. "나도."

자크는 접시를 다시 집어 테이블 위로 들어올렸다. 그의 손이 부들거렸다. 그는 호텔 주인을 불렀다.

사라는 말했다. "집어던질 것까진 없잖아."

자크는 수긍했다. "그건 그래."

주인이 왔다. 어리바리하고 비대한 남자였다.

자크는 말했다. "이 생선 도로 가져가요, 난 더는 못 먹겠으니."

주인이 황급히 말했다. "원하시면 송아지 에스칼로프와 달걀이 있습니다."

자크는 말했다. "에스칼로프와 달걀, 둘 다 줘요."

주인이 생선 접시를 들고서 캐노피 한가운데까지 갔다가 되돌아왔다.

"추가 요금이 있다는 걸 깜박 잊고 말씀드리지 않았어요. 생선 요리의 두 배예요."

자크는 웃으며 말했다. "세 배라도 상관없소."

남자 또한 생선 접시에 손도 대지 않았다. 그는 담배를 피우며 주인이 자크 테이블의 접시들을 전부 부엌으로 가져가기를 기다렸다가, 주인을 불렀다.

"미안하지만 나도 이 생선들은 더 이상 못 먹겠소. 나도 에스칼로프와 달걀을 줘요."

"둘 다요?"

"네. 추가 요금이 얼마든."

자크는 남자를 돌아보았다. 그들은 마주보며 미소 지었다. 다른 사람들, 그들은 이미 생선 접시를 비웠다. 주인은 그들을 증인 삼아 머뭇거리며 말했다.

"바다에 오는 건 생선, 그 뭐냐, 신선한 생선을 먹기 위해서 아닙니까? 올해 오신 손님들은 당최 이해를 못 하겠어요."

손님 한 명이 대꾸했다. "바다건 다른 데건, 사실 생선을 매일 먹을 수 있는 사람은 없어요. 모두가 물리긴 했다고요."

주인은 부엌으로 가 버렸다. 자크는 남자를 돌아보며 씩 웃었다. 그는 말했다.

"참는 것도 어느 정도라야."

"맞습니다."

그들은 한참 동안 껄껄거렸다. 다이아나도 따라 웃었다. 그녀는 사라에게 몸을 기울이더니 말했다.

"이 메뉴를 다들 아무렇지 않게 잘도 견디는 게 이상하다 했더니만. 잘했어, 자크."

자크는 대답했다. "약간의 상상력만 있다면."

호텔의 모든 손님들이 그때부터 무성의한 호텔 주인과 형편없는 호텔을 성토하기 시작했고, 의견이 일치했다. 곧이어 화제가 바뀌었다. 다른 이야기, 요컨대 이 지루한 휴가에 대한 이야기가 시작되었다. 무더위, 이전 휴가, 최고일 것으로 기대되는 다음 휴가. 어른이나 아이에게 산과 바다, 그리고 더위와 추위가 주는 여러 가지 장점. 모두가 멋진 휴가를 보낼 특별한 장소를 알고 있었지만 왜 그곳에 가지 않았는지를 말하는 이는 없었다. 결국 모두 다시 이곳으로 와서 휴가 보내는 것을 당연시했다. 다이아나는 멋진 휴가와 지루한 휴가를 구분했다. 이번 휴가는 지루한가, 아니면 단순히 쾌적하지 않을 뿐인가? 대다수가 본질적으로 지루하다기보다는 쾌적하지 않다는 쪽이었고, 오직 한 여자만이 지루하다고 평가했다. 그리고 극심한 더위. 여간해선 피할 수 없는 더위와 씨름하다 보면 하루가 다 지나곤 했다. 그렇게 더위는 그 자체로 온전한 소일거리였다. 그게 어딘가? 더위와 추위는 매우 다른 것이다. 더위는 휴가를 연상시키지만, 추위는 그렇지 않다. 다이아나가 이야기했듯, 더위로 인한 우울, 태양에 대한 공포는 추위의 경우보다 덜 보편적이지만, 일단 그것을 인식하게 된 이들에게는 훨씬 혹독하다. 더위는 일이 아닌 여가에 적합한 반면, 추위는 보다 생산적이며, 실질적인 행동을 유도한다. 아이디어는 겨울에 더 잘 떠오르지만, 인간의 진정한 본성은 여름에 더 잘 드러난다. 인간의 품행은 겨울보다 여름에 더 의미심장하다. 태양 아래서, 각자의 성질이 제대로 드러난다. 저마다 휴가에 대한 나름의 견해가 있었다. 어떤 이들은 휴가가 인생에서 꼭 필요한 건 아니라고 생각했다. 하지만 어떤 이들한테는 필수불가결했다. 도시는 신경을 곤두서게 한다. 그 점에 대해서는 모두 동의했다. 삶은 전세계 누구에게나 고달팠다. 각자가 삶을 보냈던 도시, 살아 보고 싶은 도시, 수도, 작은 마을, 국제적 대도시들을 차례로 거론했고, 그 도시들의 각기 다른 장점과 단점이 나열되었다. 모두 명백한 노스탤지어와 함께 망명자라도 된 듯 자기의 도시에 대해 이야기했다. 그곳이 아무리 열악해도 제각각 그곳에서 보냈던 삶의 양식에 애착이 있었던 만큼, 그 삶의 양식이 최악이 아니라는 증거를 늘어놓을 준비가 돼있었다.

남자, 자크, 다이아나, 사라 일행은 거의 말이 없었다. 자크가 들춘 메뉴 문제를 제외하면, 저녁 식사 시간은 평온하고 평범했다. 지나와 루디는 저녁을 순식간에 마치고 다시 왔다. 그런 만큼 대화는 끊이지 않았다. 루디는 즉시 대화에 끼어들었다. 그는 국제적인 대도시에 살고 싶었으며 그게 인생의 꿈이었노라고 말했다. 지나는 이런 종류의 대화는 대체로 아무 소득 없이 끝나기 때문에 질색이라며, 당상 시급한 건 공을 치러 가는 것이고 빨리 가고 싶어 안달이 난다고 말했다. 사람들은 동의했지만 그리 서두르지는 않았다. 많은 이들이 지나의 감정 기복에 대해 제멋대로 군다고 생각했고, 불쾌해하는 이들도 적지 않았다. 공놀이 얘기가 나왔을 때, 강 양편에서 몇 분 간격으로 일제히 무도회가 시작되었다. 가까운 이편 무도회에선 '블루문'이, 다른 편에선 모르는 노래가 흘러나왔다. 남자는 사라를 도둑처럼 훔쳐보았다. 모두 자리에서 일어났다. 남자만이 앉아 있었다. 자크는 머뭇거리다가 그에게 다가갔다. 남자는 앉은 채였다. 자크는 말했다.

"같이 공 치러 가지 않을래요?"

그들은 아주 가까이에서 서로를 응시했다.

남자는 말했다. "고단해서요. 내키지 않네요."

지나가 끼어들었다. "그만 올라가서 자는 게 좋겠어요. 처음 며칠은 좀 그래요, 내일은 한결 나을 거예요."

루디도 한마디 했다. "같이 갔으면 했는데… 고단하다는 데야…"

자크는 말했다. "나도요." 자크의 어투는 다정하게 느껴졌다.

다이아나는 자크의 안색을 살피다가 말했다. "같이 가면 우리가 얼마나 좋을지는 충분히 알려 드린 것 같으니까, 이 이상 강요하지 않는 게 좋겠어."

남자는 자크에게 말했다. "미안해요. 실은 강 너머 무도회에도 가야 하거든요."

루디가 말했다. "거, 좋은 생각이요. -그는 애써 웃음 지었다- 그쪽은 여기보다 여자들이 확실히 더 예쁠 거예요. 왠진 몰라도…."

자크는 말했다. "그렇다면야… 더 졸라도 소용없겠군요."

"미안합니다." 그는 덧붙였다. "또 내일 아침에 일찍 일어나야 해서요. 실은 저도 며칠 짧은 여행을 떠나요."

잠시 침묵이 흘렀다. 자크는 여전히 남자 앞에 버티고 서 있었다. 마침내 루디가 입을 열었다. "아쉽네요, 선생도 여기가 마음에 차지 않는다니."

"며칠 뒤에 배를 가지러 다시 올 거예요. 원하시면 맡기고 가겠습니다. -그는 루디에게 미소를 지어 보였다- 조종법을 가르쳐 드리죠."

루디는 말했다. "아니에요. 여럿이 같이 가는 게 좋은 거지, 혼자서 무슨 재미로."

지나가 말했다. "난 혼자서도 좋을 것 같은데."

루디는 들은 것 같지 않았다.

자크는 말했다. "마지막 밤인데도 같이 안 가시겠다?"

남자는 대답했다. "네, 미안합니다."

일행은 뿔뿔이 흩어져 공을 치러 갔다. 자크는 모두를 앞질러 혼자 걸었다. 다이아나가 그를 불렀고, 그는 그녀에게 다가갔다. 사라는 잠시 혼자 걸었다. 루디가 그녀가 있는 곳까지 고양이처럼 슬며시 다가와 살갑게 말했다.

"아직도 날 원망해?"

"나한테 악의적이라고 했다는 말 때문에?"

"응."

"그리고 아무 호기심도 없다고 했다고?"

"응. 그냥 홧김에 한 말이야. 자크가 너한테 일렀다고 하더라고. 그것도 몇 번씩이나. 자기도 홧김에 그랬대. 나 엄청나게 후회하고 있어."

"아니야, 실은 맞는 말이라는 걸 알면서도 며칠 동안 널 원망했어. 지금은 더는 원망 안 해."

"왜 맞는 말이라는 거야? 아직 화 안 풀렸구나?"

"아니야. 내가 좀 악의적인 구석이 있긴 하잖아. 그건 사실이니까."

루디가 생각에 골몰하며 말했다. "그래. 네가 좀 악의적이긴 해, 하지만 안 그런 사람이 누가 있어? 당장 나도 그렇고, 자크도 그래."

"내가 자크보다 더 악의적이야."

"지나처럼?"

"그건 몰라."

"왜 우린 다들 그렇게 악의적인 걸까?"

사라는 대답하지 않았다.

루디는 말을 이었다. "어쩌면 오래된 사랑이 우리를 그렇게 악의적으로 만드는 건지도 몰라. 위대한 사랑의 황금 감옥 말이야. 사랑보다 우리를 더 옥죄는 감옥은 없지. 그렇게 오랜 세월 갇혀 있다 보면 세상에서 가장 선량한 사람까지 악의적인 사람이 돼 버려."

사라는 말했다. "그런 것 같아." 그녀는 잠시 사이를 두고 덧붙였다. "그래도 넌 날 사랑해야 돼, 난 최소한 내가 악의적인 걸 알고 있으니까."

루디는 그녀를 꼭 끌어안았다. "아, 귀여운 사라. 난 널 영원히 사랑할 거야."

사라는 말했다. "네가 날 사랑하지 않는다면 끔찍할 것 같아."

"난 너와 자크를 영원히 사랑할 거야. 내가 너희를 얼마나 좋아하느냐면, 때론 너희를 알고부터 내가 우정이란 감정을 깨닫게 됐다고 느끼거든." 그는 여전히 생각에 골몰한 채 덧붙였다. "그리고 너희를 만나고부터, 우리 같은 친구가 없는 사람들은 일종의 불구라는 생각을 하게 됐어."

그들은 계속해서 걸었다. 루디는 말을 이었다.

"악의적이라는 말을 한 게 계속 마음에 걸리네. 방법이 없을까?"

"아마 없을 거야."

그는 그 이상 더 거론하지 않았다. 그녀는 어조를 바꾸어 그에게 물었다.

"오늘 저녁에 지나가 흐뭇해하는 거 봤어?"

"봤지."

"아! 매일 오늘만 같으면 좀 좋아? 지나가 좀 변했으면!"

루디는 말했다. "누가 알아?" 그는 깊이 생각했다. "얘기해 봐. 넌 지나를 가망 없다고 보는 거야?"

"응, 하지만 온 세상에 맞서서라도 난 지나를 옹호할 거야."

루디는 말했다. "알아. 나라도 지나한테 그렇게 할 거니까. 그런데 내가 지나한테 좀 지나친 것 같기도 해."

루디의 생각의 흐름이 방향을 틀었다.

"그건 그렇고, 우리를 대하는 그 친구 태도가 달라졌어. 고단하다면서 강 너머 무도회엔 간다고 하고. 무도회에 간다면서 왜 고단하다고 하는 거야?"

"고단하다고 꼭 자러 가야 한다는 법은 없어."

"어쨌든. 우리에게 섭섭한 게 있는 거면 곤란한데. 어쩌면 자크가 잘 본 건지도 모르겠어. 그 친구 우리하고 약간, 뭐랄까? 약간 다른 구석이 있어. 정치 이슈 따위에도 별 관심 없고. 그래도 서글서글하고 마음에 드는 친구였는데. 다른 사람들하고 달라서 신선하기도 했고."

"맞아. 다른 사람들하고 좀 달랐어."

루디는 사라를 슬쩍 곁눈질했다.

"자크는 사람들한테 좀 박해. 그 친구한테도 그런 것 같고."

"지금은 자크도 마음에 드는 눈치던데?"

"하기는 지금은 서로 말도 하니까. 어투가 좀 묘한 것 같기도 하지만, 서로 말하는 게 어디야."

"맞아."

"넌 그 친구랑 잘 맞는 것 같더라."

"응."

루디는 가볍게 덧붙였다.

"자크보다는 네가 사람들하고 더 잘 어울리는 것 같아, 네가… 뭐라고 해야 할까… 네가 어쩌면 자크보다 덜 까다로운 것 같고."

"그럴 수도 있지, 하지만 늘 그런 건 아냐."

그들은 멈춰 서서 담배를 꺼내 불을 붙였다.

"난 네가 슬픈 게 싫어."

"실은 할 얘기가 있어."

"아니, 하지 마."

그는 갑자기 조금 빠르게 걷다가 멈춰 서서 사라의 팔을 붙들었다.

"귀여운 사라. 슬퍼하지 않으려고 해 봐."

"난 슬프지 않아."

"자크랑 다이아나랑 여행 다녀오는 게 어때?"

"글쎄."

그는 고개를 숙이고 걷기 시작했다. 지나를 향한 그의 사랑은 유일무이하고 독점적인 사랑이었다. 대립되고, 모순된 인간의 욕망은 늘 그를 혼란에 빠뜨렸다.

"너에게 할 말이 있어…. -그는 힘겹게, 천천히 말했다- 엊저녁에 네가 나한테 했던 얘기 말이야. 왠지 몰라도 좀 섬뜩하더라고. 곰곰이 다시 생각해 봤는데 좀 섬뜩했어."

"뭐가?"

"네가 말과 쓸쓸함에 대해 했던 얘기. 우리가 말보단 다른 걸로 서로 이해할 수 있을지 모른다며? 말과 마찬가지로 우리를 씁쓸함이라든지 악의로부터 똑같이 해방시켜 주는 다른 게 있다고 했잖아. 잘 알면서."

"그냥 말이 그렇다는 거야. 섬뜩하게 여길 필요 없어."

그들은 좀더 걸었다. 루디는 사라의 팔을 보다 세게 붙들었다.

"할 말이 하나 더 있어…. 난 말이야, 예를 들어 자크가 고통받는 걸 막기 위해서라면, 다른 놈들은 백 명이고 천 명이고 해치울 수 있어. 너에게 이 말이 꼭 하고 싶었어. 이걸 나의 비열한 면이라 해도 좋고."

그는 잠시 기다렸다가, 물었다.

"넌? 너도 그래?"

"당연하지."

놀이터에 도착했다. 전날처럼, 열띤 분위기 속에서 팀이 정해졌다. 전날처럼, 사라는 게임에 참여하지 않는다고 했고, 대부분은 이를 자연스럽게 받아들였다. 지나는 자크를 자기편에 넣었다. 다이아나도 끌어들였다. 다이아나나 자크나 게임 생각이 크게 없었지만, 그래도 참여했다.

제일 먼저 공을 던진 사람은 자크였다. 그는 트랙에 홀로 선 채 목표물을 조준하고 있었다. 잘생긴 얼굴에 짙은 음영이 드리워졌다. 그에겐 더위가 어울렸다. 충분히 이곳으로 휴가여행을 올 만했다.

사라는 그와 대화를 나눈 지 정말 오래되었다고 느꼈다.

모든 선수들에게 한 번씩 차례가 돌아가는 걸 보려면 오래 기다려야 했다. 다시 자크 차례가 되었다. 다이아나와 지나는 그의 양편에서 공을 던지는 그를 주시했다. 자크 팀이 지고 있었다. 자크가 던진 공이 상대인 루디 팀의 공을 세 개나 밀어냈다. 다이아나와 지나가 환호성을 질렀다. 이제 자크한테 두 개의 공이 남았다. 사라는 벤치에서 일어나 울타리 밖으로 나왔다. 도로에 들어서며 돌아보니 공을 손에 쥔 채 텅 빈 벤치를 바라보는 자크가 보였다. 지나가 빨리 던지라고 그를 닦아세웠다. 그는 공을 던졌다. 텅 빈 벤치를 여전히 바라보고 있는 사람은 이제 루디밖에 없었다.

뱃사공이 배 안에 누워 있었다. 그는 무도회가 중단된 것을 불평하던 어제의 두 청년과 이야기하고 있었다.

사공은 말했다. "내가 뭐랬어, 결국 다시 열었잖아."

청년 중 한 명이 말했다.

"마을에서 사람이 죽을 때마다 무도회를 닫아야 한다면."

사공은 이건 예사로운 죽음이 아니라고, 희생된 청년이 비록 직접적인 전사자는 아닐지라도 결과적으로 전쟁 탓에 간접적으로 희생된 것이니 전사자 자격으로 마을 차원에서 상을 치러주는 것이 당연하다고 설명했다. 이어서 두 청년은 사공에게 강 너머 무도회에 대해 질문했다. 강 너머엔 예쁜 아가씨들이 많나요?

사공은 대답했다. "그렇다고들 해. 그쪽이 분위기가 더 흥겹고 더 북적거린다더군."

"음악은요?"

"여기서도 들리잖아. 음악은 다 거기서 거기 아닌가?"

그들은 부정하지 않았다.

"거기 부인, 부인도 강 건너시게?"

사라는 대답했다.

"아니요, 너무 늦었어요."

"그동안 내가 봐 온 바로는 저쪽 무도회는 한 번도 안 가시던데?"

"저쪽은 아예 갈 생각조차 못했거든요."

그들은 가 버렸다. 사라는 강을 따라 걸어 내려왔다. 저 위, 산속의 캠핑용 전등은 더 이상 빛을 발산하지 않았다. 노인들은 잠든 것일까. 죽은 아들을 데려가기 전, 마지막 밤. 노파, 그녀는 잠을 이루지 못하고 있거나, 잠들었다 하더라도 폭발로 검게 그을린 돌더미 한가운데 누워 화재 뒤에 남은 매캐한 탄내 속에서, 파리처럼 고통의 표면 위를 윙윙 떠돌고 있으리라. 그런 노파를 상상하기란 불가능했다. 그녀는 모든 상상을 초월했다. 그녀 주위로 세상은 평소와 다름없이 돌아가고 있었다. 강변은 황량했다. 마을 사람들 중 일부는 무도회에 갔을 터였다. 다른 일부는 밤의 선선함을 더 많이 누리려고 배를 타고 바다로 나갔을 터였다. 산불은 조금 더 번져 있었다. 그 불꽃이 매끄러운 수면에 군데군데, 영롱한 핏빛 얼룩을 만들었다. 마을에선 산불 얘기뿐이었다. 강은 더할 나위 없이 경이로웠다. 바다의 반사광이 저 멀리 첫 굽이까지 강물 전체를 환하게 밝혔다. 강물이 진주처럼 은은하게 반짝였다. 실은 아름다운 곳이었고, 휴가를 보내는 데 다른 곳보다 모자랄 것 없는 장소였다. 다만 여름이 혹독했다. 뻔뻔하리만치 풍족한 결실을 앞둔 강 너머 평원에서도 밤의 선선함이 넘쳐흘렀다. 서쪽의 하얀 해안선이 평원을 에워쌌고, 빽빽한 옥수수 밭도 그 속에 묻혀 분간이 되지 않았다.

자크는 사공이 되돌아오기 전에 강가에 도착했다. 처음엔 사라를 보지 못했다. 그는 부교까지 걸어 내려가 바닷가의 무성한 옥수수 밭을 바라보았다.

사라는 걸어 내려왔던 강변을 도로 거슬러 올라가 그에게 다가갔다. 그는 소스라쳤다.

그가 인사했다. "안녕."

"안녕."

"사공 기다려?"

"아니, 사공 기다리는 거 아냐. 그저 집에 들어가기 전에 좀 걷는 거야."

그는 길가에 주저앉았다. 그녀는 가로등 불빛에 비친 그가 두 눈을 감는 걸 보았다. 그녀는 한 걸음 물러나 다시 강물을 돌아보았다. 그가 일어나 그녀에게 다가왔다.

그녀는 말했다. "그 정도로 심각했던 게 아냐, 내가 당신한테 쟁취하려던 휴가는."

"알아. 당신은 그럴 자유가 있어."

그들은 잠자코, 나란히 강물을 바라보았다. 사공이 돌아오고 있었다.

그는 다시 말했다. "당신은 그럴 자유가 있어."

도로에 루디가 여전히 고양이처럼 살며시 와 있었다.

그녀는 말했다. "당신이 원하면 파에스툼에 갈게."

잠시 후 그가 말했다. "당신이 원하면."

루디가 그들 곁으로 다가왔다. 그는 인사하고는 덧붙였다.

"안녕, 왠지 모르지만 오늘밤은 공놀이가 시들하네."

사라는 말했다. "파에스툼에 며칠 다녀올지 말지를 얘기하던 중이었어."

루디가 말했다. "파에스툼, 정말 아름답지."

자크가 받았다. "우리랑 같이 가도 돼. 타키니아에 들를 거야."

사라에겐 자크의 목소리가 생소하게 느껴졌다. 그는 맥빠진 어조로 말했다.

루디는 대답했다. "타키니아로 가는 건 진짜 좋은 생각이다. 에트루리아 고분에서 작은 말들을 볼 수 있을 거야. 이루 말할 수 없이 아름답거든."

자크는 말했다. "네가 우릴 안내해 줘도 되잖아."

루디는 머리를 긁적거렸다.

"요즘은 여행이 크게 안 내켜. 작은 말들은 좀 아쉽긴 하다, 너희들에게도 보여주고 싶었는데. 가이드들은 안 보여줄 때도 있어, 고분이 시내에서 멀리 떨어져 있거든."

자크는 말했다. "지나도 같이 가면 되잖아. 차에 자리도 있고."

루디는 고개를 저으며 말했다. "절대 안 가려고 할 거야. 절대. 너흰 그 여잘 몰라…. 같이 가지 않기 위해 어떤 핑계라도 찾아낼 거야."

자크는 말했다. "내가 얘기해 볼게."

루디는 말했다. "관둬, 하기는 지나도 그걸 같이 보면 좋긴 할 텐데. 내가 이런 생각 자체를 아예 하질 말아야지. 지나랑 뭘 같이 보겠다는 생각은 아예 접어 두고 나 혼자, 지나 없이, 뭘 보겠다는 생각을 해야 해. 나도 이제 그럴 수 있어야 돼."

그들이 타키니아에 대해 다른 얘기를 더 해 볼 사이도 없이 사공이 도착했다. 젊은 여자 둘이 즐거운 듯 조잘거리며 배에서 내렸다.

자크는 말했다. "아무튼 다시 얘기하자, 지나도 같이."

루디는 대답했다. "좋을 대로. 얘기는 언제든 할 수 있는 거니까."

그는 사라를 돌아보았다. "같이 공치러 가자."

자크가 말했다. "사라는 집에 가도록 내버려둬."

사라는 단지 포장도로 탓이 아니라 운이 다했기 때문이라는 죽은 플라타너스 나무가 있는 광장까지, 두 남자와 함께 몇 걸음 더 옮겼다.

그녀는 말했다. "집에 가야 돼, 안 그럴 이유가 없어…."

루디는 주저하다가 자크에게 말했다.

"사라랑 잠깐 같이 있다가 놀이터로 갈게."

자크는 말했다. "나도 별로 공치고 싶지 않은데."

루디가 제안했다. "그럼 한잔 하러 갈까, 우리 셋이서?"

자크는 말했다. "좋을 대로."

사라는 말했다. "난 안 돼, 실은 루디에게 할 말이 있었어. 강 너머 카페에서 날 기다리고 있는 남자에게 가서 기다릴 필요 없다는 말 좀 전해 주지 않을래?"

루디는 아무 대답도 하지 않은 채, 고개를 숙이고서 도로에 시선을 고정했다.

자크는 말했다. "그 친구에게 예의는 지켜."

루디는 여전히 묵묵부답인 채, 고개조차 들지 않았다.

자크는 말했다. "가 봐, 난 호텔에서 기다릴게."

사라는 말했다. "난 집에 갈 거야."

자크는 호텔의 캐노피로 갔다. 사라는 루디와 둘이 남았다.

"정말 내가 가길 바라?"

"네가 가지 않을 이유가 없어."

"내가 가서 뭘 어떻게 설명을 해."

"설명하고 말 것도 없어. 널 보면 바로 이해할 테니까."

"만나러 가고 싶었잖아. 그것도 아주 많이."

"이젠 상관없어. 잘 알지도 못하는 사람인걸."

루디는 말했다. "그럼 내가 갈게."

그는 부교에 발을 들였다가 다시 사라에게 다가왔다.

그는 말했다. "사랑엔 휴가가 없어. 그런 건 존재하지 않아. 사랑은 권태를 포함한 모든 것까지 온전히 감당하는 거야, 그러니까 사랑엔 휴가가 없어."

그는 강물을 마주한 채 그녀를 보지 않고 말했다.

"그게 사랑이야. 삶이 아름다움과 구질구질함과 권태를 끌어안듯, 사랑도 거기서 벗어날 수 없어."

사공은 끈덕지게 기다렸다. 루디가 유일한 손님이었다.

루디는 말을 이었다. "타키니아에 들르면, 아니다, 나도 같이 가야겠다." 그는 부정적으로 덧붙였다. "가이드들이 게을러서 아무래도 작은 말들을 안 보여 줄 것 같거든. 가이드가 보여 주지 않아서 그걸 못 보면, 거긴 가나마나야."

사라는 말했다. "지나도 같이 갈지 몰라."

"어쩌면. 하지만 너무 강요하면 안 돼."

"응, 그러지 말아야지."

"지나도 심술부릴 권리가 있다고, 이해하지?"

"이해해."

"내가 입이 닳도록 이 작은 말들에 대해 얘기했기 때문에 어쩌면 지나도 갈지 몰라."

사라는 말했다. "내가 내일 아침에 해변에서 물어 볼게."

루디가 말했다. "그래, 자, 이제 그 친구 만나러 가야겠다, 넌… 집에 들어갈래?"

"난 집에 갈게."

"알았어."

루디는 조각배에 올라탔다. 사라는 잠시 그 자리에 서서, 호텔 캐노피 안에 홀로 앉아 캄파리를 마시는 자크를 바라보다가, 이윽고 발길을 돌렸다.

가정부는 이미 잠자리에 들었지만 아직 자고 있지 않았다.

그녀는 집안에 들어서는 사라를 보며 말했다. "오셨네요, 내 그럴 줄 알았죠."

사라는 침대 끝에 걸터앉아 담배에 불을 붙였다. 가정부는 조금 놀라는 눈치였지만 말을 아꼈다.

사라는 말했다. "아가씨도 뭔지 이해할 텐데요. 아침엔 하고 싶은 게 있었고 무도회도 가고 싶었다가, 저녁이 되면… 뭐, 얼마든지 있을 수 있는 일이지."

가정부는 말했다. "이해해요."

사라는 말했다. "그건 그렇고, 노인들이 내일 아침에 떠나기로 한 거 알아요?"

"할머니가 서명했어요?"

"세상에 일어나지 못할 일은 없어요, 그래요, 서명했어요."

가정부는 탄식했다. "불쌍한 할머니, 끔찍한 일이네요. 그래도 결국은 떠나는 게 낫죠, 산에 있을 노인네들 생각하면 숨이 턱턱 막히는데… 심지어 어젯밤 무도회에서도 다들 노인네들 생각을 했다니까요."

그녀는 일어나서 머리를 빗기 시작했다. 사라는 침대 끝에 걸터앉아 가정부가 하는 양을 바라보았다.

가정부는 거울을 보며 배시시 웃었다. "그이가 얼마나 좋아할까."

그녀는 옷을 갈아입으러 욕실로 달려갔다. 사라는 아이를 보러 갔다. 이번에도 어김없이, 창문은 닫혀 있었다. 그녀는 창문을 활짝 열고서 아이에게 갔다. 그리고 침대 발치, 시원한 타일 바닥에 누웠다. 그녀는 아이에게 다시 한 번, 바람이 불고 시원한 밤을 누릴 수 있는 다른 휴가에 대해 속삭이기 시작했다. 이 밤에는 비가 내리기를 바랐다. 그녀는 그 희망을 간직한 채, 매우 늦게 잠이 들었다.

옮긴이의 말

내가 열중하는 건 표현이 가능할 때 말할 수 있는 것들과,
생각은 하면서도 말하지 않는 것들이에요.

마르그리트 뒤라스,
<레 누벨 리테레르>와 인터뷰 중에서

이탈리아의 폐쇄적인 바닷가 마을, 앞으론 바다가 뒤로는 산이
코앞에 버티고 있고, 밤에도 열기가 가시지 않는 기록적인 무더
위가 기승을 부린다. 마을과 세상을 잇는 건 포장도 되지 않은 7
킬로미터 남짓의 흙길뿐이며 해변으로 향하는 길엔 그늘이 되어
줄 나무 한 그루 없다. 그나마 서 있는 유일한 플라타너스 한 그
루는 가지가 전부 잘린 채 죽어버렸다.

이 마을로 다섯 친구가 휴가 여행을 온다. 자크와 사라 부부, 루
디와 지나 부부, 독신인 다이아나. 이곳에선 느지막이 일어나 식

은 커피를 마시고, 친구가 오기를 기다려 바다에서 수영을 하고, 호텔이나 각자의 집에서 점심식사를 하고, 다시 친구들과 모여 바다에서 수영을 하고, 또다시 호텔이나 각자의 집에서 저녁식사를 하고, 내일은 비가 내리리라는 희망 속에서 휴식이 되지 못하는 잠에 빠져드는 것이 일과이다.

일상에서 탈출하기 위해 찾은 휴가지, 수영하고 식사하며 잡담을 나누는 것 외에 '아무런 할 일이 없고 책들도 손에서 녹아내리는' 뜨거운 이곳에서 또다시 반복되는 일상. 3인칭 화자인 사라와 친구들의, 무더위만큼이나 권태로운 이 일상에 희미한 균열이 될 수도 있을 세 가지 사건이 거의 동시에 발생한다. 사라와 자크 부부가 사소한 말다툼을 벌였고 자크가 언쟁 끝에 홧김에 루디가 사라에 대해 했다는 말을 전한 사건, 마을 뒷산에서 지뢰 제거 작업반 청년이 지뢰 폭발로 폭사한 사건, 낯선 남자가 멋진 보트를 타고서 마을로 흘러든 사건이 그것이다.

루디가 했다는 말은 사라의 머릿속을 떠나지 않은 채 그들 사이에 보이지 않는 장벽을 형성한다. 청년이 죽은 뒤 청년의 유해를 거두러 온 부모는 사망신고서에 서명하기를 거부한 채 산속에서 몇 날 며칠을 버티는데 이는 무더위와 지형 탓으로 가뜩이나 질

식할 것 같은 그들을 더욱 숨막히게 한다. 노부부의 슬픔이 그들과 마을 전체를 잠식했기 때문이다. 바다와 잘 어울리는 그을린 갈색 피부와 매끈한 몸과 멋진 보트를 소유한 남자는 각기 다른 이유로 모두의 욕망의 대상이 되지만, 무엇보다 그가 사라를 욕망하면서 자크와 미묘한 삼각관계를 형성한다.

『타키니아의 작은 말들』은 일주일 남짓 동안 사라와 친구들의 의식을 지배하던 이 세 가지 사건이 어떤 식으로든 마무리되는 이틀을 담고 있다. 그 이틀이 각각 오전과 오후로 나뉜 4개의 장으로 구성되어 있고, 각각의 장은 (낮잠을 포함하여) 잠에서 깨어나는 것으로 시작하여 잠이 드는 것으로 끝난다. 작열하는 태양, 무더위로 기진한 사람들, 오전부터 마셔대는 미지근한 캄파리, 끈적한 공기, 비가 올 듯 흐렸다가 다시 개는 하늘, 늘 똑같은 타령인 호텔 메뉴, 대화인 듯, 번갈아 내뱉는 각자의 독백인 듯 이어지는 얘기들, 수많은 침묵과 머뭇거림과 기다림들, 이 모든 권태로운 요소에 잠이 깬 직후와 잠들기 전의 몽롱함으로 열고 닫는 이야기 구조가 가세하여 나른함이 절정인 세계, 마르그리트 뒤라스의 세계가 펼쳐진다. 그리고 그 나른함 속에서 인물들은 뒤라스의 인물들이 그러하듯, 불가능하다는 것을 알면서도 절대적인 사랑을 통해 삶의 의미를 찾으려 부단히 노력한다.

『타키니아의 작은 말들』엔 커플의 사랑 외에 우정, 인류애, 모성애 등 갖가지 사랑이 제시되고, 커플의 사랑도 대조적인 사라/자크, 지나/루디 커플 외에 식료품상 부부, 죽은 청년의 부모 등 다양한 형태로 제시된다. 뒤라스가 밝혔듯 '세상에서 맹목적인 사랑이 가능한 유일한 사랑인 모성애'를 제외한 모든 사랑은 절대적이지 않다. 커플의 사랑은 더욱 그러한데 인물들은 각자의 방식으로 사랑을 지키려 노력한다.

사라와 자크는 처음의 열정과 욕망으로 서로를 사랑하려 애쓰지만, 소진된 사랑의 본질적 한계를 인정하고 서로의 관계에 대해 유보적이 된다. 마을로 우연히 흘러든 낯선 남자에게 자극받은 자크는 사라에게 폐쇄적인 마을을 떠나 타키니아로 여행을 떠나자는 제안을 하고 이를 거절하는 그녀에게 화를 냈다가 결국 그녀의 선택을 존중한다. 사라는 낯선 남자와 하룻밤을 보낸 뒤 자신을 열렬히 욕망하는 남자에게서, 두 사람 이외의 모든 것이 상관없었고 아무래도 좋았던 자크와의 열정을 상기하고 남자와의 두 번째 밀회를 포기한다.

지나와 루디 커플은 사라와 자크 커플의 대척점에 있다. 그들은 마을 전체가 수군거릴 정도로 요란한 싸움을 벌이기 일쑤지만,

그들을 잘 모르는 남자한테도 첫눈에 '영원한 커플'로 보일 정도로 서로가 없이는 존재의 성립이 불가능한 관계로 맺어져있다.

루디에게 늘 싸움을 거는 지나는 루디가 '다른 남자들처럼 그냥 집에 들어오는 것이 아니라 패배한 적군처럼 투항하듯, 들어오기'를 바란다. 그렇게 그녀는 식을 운명의 사랑을 살리고, 붙잡아둔다. 루디는 사랑을 환상 없이 바라보며 감정을 거침없이 표현한다. 그는 말한다. "사랑엔 휴가가 없어, 그런 건 존재하지 않아. 사랑은 권태를 포함한 모든 것까지 온전히 감당하는 거야, 그러니까 사랑엔 휴가가 없어. 그게 사랑이야. 삶이 아름다움과 구질구질함과 권태를 끌어안듯, 사랑도 거기서 벗어날 수 없어."

뒤라스는 익히 알려져 있듯 전통적 소설 기법을 거부하고 새로운 형태의 소설을 추구했다. 즉 설명이 배제된 단순한 이야기와 간결한 문체, 뼈를 발라낸 듯 정련된 언어, 실체 없는 대화, 인과관계의 부재, 엄격한 작품 구조를 통해 불가능한 것들, 피할 수 없고 말로 표현할 수 없는 것들을 언어화하고 외면화하려 했다. 『타키니아의 작은 말들』은 그 독자적인 세계가 정점에 이르기 전, 뒤라스가 이야기 서술자로서 자신의 능력을 실험해 본 기간에 쓰여졌고 때문에 그녀의 소설 중에서 전통소설과 가장 가까이 닿아있다. 독자가 기대어 따라갈 수 있는 줄거리가 있고 중심 화자가 있으며 대화는 이야기를 진전시킬 뿐만 아니라 통찰력과 유머가 넘쳐난다. 개성이 뚜렷한 인물들은 인격의 와해를 겪지 않고 끝까지 살아남는다. 즉 쉽게 읽힌다. 마치 라흐마니노프를 열정적으로 연주하고 난 거장이 들려주는 '고향의 봄' 같다고 할까.

하지만 뒤라스는 뒤라스다. 자식의 죽음이나 외도와 같은 극적인 딜레마를 다루면서도 소설의 정서적 온도는 고조되는 일 없이 나른하다. 강렬한 심리적 위기의 순간에도 인물들은 머뭇거리고, 잠시 사이를 두고, 침묵하기 일쑤다. 소설에서 그들이 가장 빈번하게 하는 행위는 '바라보는' 것이다. 그들은 보고, 응시하고, 곁눈질하고, 마주 보고, 돌아보고, 쳐다본다. 바라보는 행위가 사건이 되고, 바라봄으로써 존재의 변화가 이루어진다. 남자는 사라를 처음 강렬하게 인식한 순간 '얼떨떨한 표정으로' '바라보'기만 한다. 그 후에도 그는 수시로 똑같이 놀란 눈빛으로 사라를 바라보며, 그런 그의 눈빛을 다이아나가 놓치지 않고 바라보는 식이다. 그 눈빛과 동요와 떨림과 깨달음 속에서, 침묵은 '들판의 정적보다' 강렬해지고 '무無'라기보다는 모든 것을 포괄하게 된다.

또한 이 소설은 뒤라스가 상투적인 언어의 거부로서 실체 없는 모호한 대화와 침묵으로 자신의 세계를 고정하기 이전에 침묵의 경계를, 즉 우리는 서로 어디까지 말할 수 있는지를 모색한 작품이다. 소설 속에서 루디는 이야기하려고 애쓴다. "나도 우리가 어느 선에선, 그러니까 잘못 표현하거나 거짓으로 말하게 되리라는 생각이 드는 바로 그 선에선 입을 다물어야 한다고 생각해. 그 이전도, 이후도 아닌 딱 그 경계에서. 하지만 그래도 난 기를 쓰고 침묵을 고수하는 사람들보다 그 경계에 부딪쳐보려고 애쓰는 사람들, 그 경계를 허물고 표현해보려 애쓰는 사람들이 더 좋아. 그래, 어쨌든 나한텐 그 사람들이 더 나아 보여."

뒤라스는 이때부터도 '생각은 하면서도 말하지 않는 것들'에, 즉 침묵이 말을 하게 하는 것에 열중했고, 이후로 새로운 소설을 추구하며 그것에 성공한다. 이 책을 천천히 읽기 바란다. 간결한 문장들, 단어와 단어 사이, 쉼표들 사이에 오래 머무르기를, 말해지지 않은 것들과 침묵 속에서 하나의 의미보다 다양한 의미로 공명하기를 바란다.

옮긴이 **장소미**

숙명여자대학교 불어불문학과와 동대학원을 졸업하고, 파리3대학에서 영화문학 박사과정을 마쳤다. 옮긴 책으로 마르그리트 뒤라스의 『부영사』, 미셸 우엘벡의 『세로토닌』, 『지도와 영토』, 『복종』, 로맹 가리의 『죽은 자들의 포도주』, 파울로 코엘료의 『히피』, 브누아 필리퐁의 『루거 총을 든 할머니』, 에르베 기베르의 『내 삶을 구하지 못한 친구에게』, 조제프 인카르도나의 『열기』, 베르나르 키리니의 『아주 특별한 컬렉션』, 필립 지앙의 『엘르』, 필립 베송의 『이런 사랑』, 『10월의 아이』, 『포기의 순간』, 마르크 레비의 『두려움보다 강한 감정』, 『그때로 다시 돌아간다면』, 앙리 피에르 로셰의 『줄과 짐』, 『두 영국 여인과 대륙』, 양투안 콩파뇽의 『인생의 맛』, 샤를 페로의 『거울이 된 남자』, 조제프 퐁튀스의 『라인』 등이 있다.

타키니아의 작은 말들

초판 1쇄 2020년 8월 31일
초판 9쇄 2024년 7월 30일

지은이 마르그리트 뒤라스
옮긴이 장소미
디자인 이지영
펴낸이 박소정
펴낸곳 녹색광선
이메일 camiue76@naver.com
ISBN 979-11-965548-3-5(03860)

이 도서의 국립중앙도서관 출판예정도서목록(CIP)은 서지정보유통지원시스템 홈페이지와 국가자료공동목록시스템에서 이용하실 수 있습니다.(CIP 제어번호: 2020030438)